MONTAGARD

LES RECETTES DE L'AUTEUR

ENTREES - PLATS PRINCIPAUX - DESSERTS

JEAN-PIERRE TAILLANDIER

Table des matières

les Entrées

ASSIETTE EXOTIQUE

Préparation 30 minutes
Cuisson 20 minutes

Pour 4 personnes

- **800 g de fruits exotiques (mangue, kiwis, goyave, papaye, ananas)**
- **1 concombre**
- **1 avocat**
- **4 branches de persil frisé**

Sauce

- **100 g de concentré de tomate**
- **15 g de beurre**
- **15 g de carotte**
- **30 g d'oignon**
- **1 gousse d'ail**
- **1 petit bouquet garni**
- **20 g de farine**
- **50 g de crème fraîche**
- **1 dl. de vin blanc sec**
- **1/4 l. d'eau**
- **sel**

- Peler tous les fruits, le concombre et l'avocat. Retirer les grains noirs de la papaye.
- Couper la mangue, la papaye et l'ananas en dés, les kiwis, la goyaves, le concombre et l'avocat en rondelles. Les disposer délicatement et joliment dans 4 assiettes, décorer de persil frisé. Réserver au réfrigérateur.
- Préparer la sauce tomate : peler et émincer finement l'oignon, l'ail, la carotte.
- Dans une casserole à fond épais, faire fondre le beurre sur feu doux. Ajouter l'oignon, l'ail et la carotte, laisser dorer, puis incorporer la farine tout en remuant. Laisser cuire 3 minutes.
- Ajouter le concentré de tomate, le vin blanc, l'eau, bien mélanger le tout. Amener à ébullition. Saler et déposer le bouquet garni. Laisser cuire 15 minutes.
- Hors du feu, retirer le bouquet garni, chinoiser, ajouter la crème fraîche. Goûter et rectifier l'assaisonnement si nécessaire.
- Laisser refroidir au réfrigérateur.
- Servir bien frais avec la sauce tomate glacée à part.

ASSORTIMENT DE SUBRICS

Préparation 35 minutes
Cuisson 20 minutes

Pour 4 personnes

- **150 g de carotte**
- **150 g de céleri rave**
- **150 g de blettes**
- **150 g de champignons de Paris**
- **150 g de potiron musqué**
- **1 gousse d'ail**
- **1 c. à café de fleur de thym**
- **1 pincée de muscade**
- **1 c. à soupe de : ciboulette, estragon, cerfeuil, persil**
- **1 pincée de cannelle en poudre**
- **4 branches de persil frisé**
- **1 dl d'huile d'olive**
- **sel, poivre du moulin**

Pâte

- **1/4 de l. de lait**
- **250 g de farine**
- **2 œufs**
- **1 c. à soupe d'huile d'olive**
- **1 pincée de muscade**

- Eplucher les légumes.
- Préparer 5 grands bols pour y réserver les préparations.
- Râper les carottes avec la fleur de thym, le potiron avec l'ail haché et le céleri-rave avec 8 tours de moulin à poivre.
- Nettoyer et laver les champignons, les émincer avec une pointe de cannelle en poudre.
- Laver les blettes, retirer les côtes. Faire blanchir les feuilles pendant 5 minutes dans de l'eau bouillante salée, les passer sous l'eau froide, les égoutter et les hacher avec les fines herbes.
- Préparer la pâte : dans un saladier, mettre la farine, le sel, une pointe de poivre et de muscade. Ajouter les œufs, l'huile d'olive et le lait en mélangeant le tout à la spatule.
- Répartir la pâte dans chaque bol et mélanger.
- Dans une poêle, faire chauffer l'huile d'olive, déposer à la cuillère des petits tas de chaque préparation, les aplatir à la fourchette pour former des galettes.
- Les faire dorer des deux côtés, elles doivent être croustillantes autour et mœlleuses à l'intérieur.
- Egoutter les subrics sur du papier absorbant et les servir aussitôt bien chauds sur un lit de salade. Décorer des branches de persil frisé.

AUBERGINES FAVORITES

Préparation 30 minutes
Cuisson 45 minutes

Pour 4 personnes

- **4 aubergines**
- **50 g de poivron**
- **100 g de maïs en boîte**
- **50 g d'oignon**
- **1 belle tomate**
- **2 c. à soupe de blé germé**
- **30 g de raisins secs**
- **1 c. à soupe d'huile d'arachide**
- **1 c. à soupe de tamari**
- **quelques gouttes de Tabasco**
- **sel**

- Préchauffer le four th. 6 (180°).
- Couper les aubergines en deux dans le sens de la longueur. Les évider en réservant la pulpe.
- Préparer la farce : éplucher et hacher l'oignon. Epépiner le poivron, le couper en petits dés.
- Peler, épépiner et tailler la tomate en petits dés.
- Dans une sauteuse, faire suer l'oignon dans l'huile d'arachide, puis ajouter les dés de poivron, laisser cuire sur feu doux 5 minutes. Incorporer la tomate, laisser mijoter 5 minutes puis ajouter le maïs égoutté, les raisins secs, le blé germé et la pulpe d'aubergine finement hachée. Verser le Tabasco et saler. Bien mélanger le tout.
- Farcir largement chaque demi-aubergine.
- Déposer les aubergines dans un plat à gratin, glisser le plat au four préchauffé pour 15 minutes. Diluer le tamari dans 25 cl d'eau, et verser dans le plat de cuisson. Les aubergines sont cuites lorsqu'il n'y a plus de liquide dans le plat. Servir aussitôt.

"BAGNA CAOUDA" (FONDUE DE LEGUMES)

Préparation 30 minutes
Cuisson 5 minutes

Pour 4 personnes
- **1 petite botte de cresson**
- **1 petite salade Trévise**
- **1/2 laitue**
- **1 concombre**
- **1 botte de radis**
- **4 carottes fanes**
- **1/2 pied de céleri**
- **1 courgette**
- **1 petite betterave crue**
- **4 petites tomates**
- **4 champignons de Paris**
- **1/2 petit chou-fleur**
- **1/2 petit chou vert**

Sauce
- **1 c. à soupe de vinaigre de cidre**
- **1 c. à soupe de sauce soja**
- **1 c. à café de moutarde**
- **2 gouttes de Tabasco**
- **1/2 c. à café d'herbes de Provence**
- **25 cl. d'huile d'olive**
- **1 c. à café de cerfeuil ciselé**
- **1 c. à soupe de ciboulette ciselée**
- **1 c. à café de cébette hachée**
- **1 c. à café de persil haché**
- **1 c. à café d'estragon haché**
- **1 c. à soupe de basilic**
- **2 gousses d'ail**
- **1 c. à café de sel fin**

• Trier et laver les salades.

• Eplucher et laver les légumes, les couper soit en tranches, en bâtonnets ou en bouquets.

• Sur un lit de salades mélangées, disposer harmonieusement les différents légumes. Réserver.

• Préparer la sauce : peler et hacher l'ail. Dans une casserole, mettre tous les ingrédients de la sauce, en commençant par les épices et condiments pour finir avec l'huile en mélangeant le tout énergiquement. Faire chauffer sur feu moyen et servir cette sauce très chaude comme pour une fondue bourguignonne, maintenue au chaud sur un réchaud.

• On peut également utiliser des piques en bois ou des fourchettes à fondue pour piquer certains légumes.

BOUQUETIERE DE LEGUMES EN BRIOCHE

Préparation 4 heures
Cuisson 30 minutes

Pour 4 personnes

Pâte à brioche
- **250 g de farine**
- **120 g de beurre**
- **20 g de sucre**
- **2 œufs**
- **7 g de levure de boulanger**
- **5 cl de lait**
- **4 g de sel fin**

Bouquetière
- **300 g de petites carottes**
- **300 g de petits navets**
- **2 petits fenouils**
- **1/2 chou-fleur**
- **300 g de poireaux**
- **150 g de haricots verts**
- **30 g de graisse végétale**

Sauce mousseline
- **250 g de beurre**
- **3 jaunes d'œufs**
- **40 g d'échalotes**
- **1 dl de vin blanc sec**
- **1 pincée de piment de Cayenne**
- **sel**

• Préchauffer le four th. 6 (180°).
• Préparer la brioche : diluer la levure dans le lait tièdi, et toujours en remuant, ajouter une pincée de farine pour faire une pâte molette. Couvrir et faire lever 30 minutes à 25° pour obtenir le lévain.
• Dans une jatte, mettre le reste de farine, les œufs, le sel, le sucre, mélanger, ajouter le levain, bien battre et incorporer le beurre en morceau pour obtenir une pâte lisse et homogène. Couvrir et laisser reposer 2 heures à 25°. La pâte va doubler de volume. Battre la pâte pour la faire retomber, réserver 30 minutes au réfrigérateur. L'étaler et garnir un moule à tarte. Laisser gonfler, badigeonner d'œuf battu. Glisser la brioche au four et faire cuire 25 à 30 minutes.
• Préparer la bouquetière : éplucher les carottes, les navets, les fenouils, les poireaux et le chou-fleur. Effiler les haricots verts.
• Dans une cocotte, faire fondre la graisse végétale, ajouter les carottes et les poireaux coupés en tronçons de 5 cm, les fenouils coupés en 4 dans le sens de la hauteur. Mouiller avec 1 verre d'eau, ajouter 1 pincée de sel, couvrir et porter à ébullition 10 minutes. Ajouter les navets et le chou-fleur coupé en petits bouquets, 1 autre verre d'eau, laisser cuire encore 10 minutes.
• Faire cuire les haricots verts dans de l'eau bouillante salée. Egoutter les légumes.
• Préparer la sauce mousseline : clarifier le beurre, le faire fondre au bain-marie. Dans une casserole à fond épais faire réduire le vin blanc avec les échalotes. Verser dans un saladier, ajouter les jaunes d'œufs, 3 cuillères à soupe d'eau et au bain-marie, fouetter jusqu'à ce que les œufs épaississent et deviennent mousseux. Retirer du bain-marie et ajouter le beurre clarifié. Goûter, assaisonner de sel et de piment.
• Ouvrir en deux la brioche encore chaude, déposer joliment tous les légumes égouttés, napper de sauce, recouvrir avec le chapeau de la brioche et servir aussitôt.

BROCHETTES D'ANANAS ET DE PASTEQUE

Préparation 20 minutes
Pas de cuisson

Pour 4 personnes
- **4 belles tranches d'ananas frais**
- **400 g de pastèque**
- **8 feuilles de menthe fraîche**
- **8 brochettes en bois**

Sauce
- **2 yaourts nature**
- **1 c. à café de curry**
- **1 c. à café de jus de citron**
- **1 c. à café de ciboulette ciselée**
- **1 c. à café de cerfeuil ciselé**
- **quelques gouttes de tamari**
- **2 gouttes de Tabasco**
- **1 pincée de sel**

- Préparer la sauce, dans une jatte, mettre tous les ingrédients. Bien mélanger le tout et réserver au réfrigérateur.
- Couper l'ananas en tranches, retirer l'écorce et la partie dure du centre. Les couper en 16 morceaux.
- Retirer les graines de la pastèque, couper la chair également en 16 morceaux.
- Sur chaque brochette, piquer 2 morceaux de pastèque et 2 morceaux d'ananas en alternance, terminer par une feuille de menthe.
- Servir bien frais avec la sauce à part.

BROCHETTES DE COURGETTES AU BEURRE

Préparation 40 minutes
Cuisson 20 minutes

Pour 4 personnes

- **4 petites courgettes**
- **100 g de beurre**
- **4 gousses d'ail**
- **4 branches de persil**
- **4 branches de cerfeuil**
- **4 feuilles de salade de Trévise**
- **1 bain de friture**
- **quelques gouttes de Tabasco**
- **sel**

Panure

- **50 g de farine**
- **4 tranches de pain de mie mixées**
- **2 œufs**

Pâte

- **100 g de farine**
- **50 g de beurre**
- **1 c. à soupe d'eau**
- **1 pincée de sel**

• Préparer la pâte brisée : préchauffer le four th. 6 (180°). Dans une jatte, mettre la farine, verser au centre le beurre amolli, saler. Travailler la farine petit à petit du bout des doigts. Ajouter l'eau et pétrir le tout. Former une boule et abaisser la pâte sur un plan de travail fariné.

• Garnir des petits moules à tarte de pâte et faire cuire à blanc pendant 10 minutes.

• Laver et couper les courgettes en petits tronçons. Dans une casserole, porter de l'eau salée à ébullition, y faire blanchir les courgettes pendant 2 minutes. Les passer sous l'eau froide et les égoutter. Puis enfiler les courgettes sur 8 piques en bois. Réserver.

• Rouler chaque brochette dans la farine, dans les œufs battus puis dans la mie de pain. Réserver.

• Préparer le beurre d'ail : peler les gousses d'ail, les faire blanchir pendant 3 minutes dans de l'eau bouillante, les mixer avec le beurre amolli, le Tabasco et le sel.

• Faire chauffer le bain de friture à 180°.

• Y faire dorer les brochettes, les retirer à l'aide d'une araignée dès qu'elles sont bien dorées, les déposer sur du papier absorbant.

• Garnir les fonds de tartelettes chauds avec le beurre d'ail à l'aide d'une poche à douille cannelée.

• Nettoyer et laver la Trévise, le cerfeuil et le persil. Les déposer joliment sur des assiettes de service, ajouter deux brochettes par personne et une petite tartelette au beurre d'ail. Servir aussitôt.

CANAPES DE CRESSON AU BEURRE DE NOIX

Préparation 20 minutes
Cuisson 4 minutes

Pour 4 personnes
- **8 tranches de pain de mie au levain**
- **8 cerneaux de noix**
- **1 botte de cresson**
- **50 g de graisse végétale**
- **quelques gouttes de Tabasco**
- **sel**

• Prélever et laver 8 branches de cresson.bien vertes et feuillues. Les réserver.
• Faire blanchir le reste de cresson 1 minute dans de l'eau bouillante salée. Les passer sous l'eau froide et les égoutter.
• Toaster les tranches de pain de mie.
• Dans la cuve d'un mixeur, mettre la graisse végétale, les noix, le cresson blanchi, le Tabasco et le sel. Mixer le tout.
• Tartiner ce mélange sur les tranches de pain toastées, déposer sur chacune d'elle une branche de cresson. Couper les tranches en deux dans la diagonale si elles sont trop grandes. Servir aussitôt.

CREME D'AVOCAT AUX FLEURS DE CAPUCINES

Préparation 15 minutes
Cuisson 35 minutes

Pour 4 personnes
- **2 avocats bien mûrs**
- **12 fleurs de capucines**
- **1 c. à soupe de jus de citron**
- **2 dl de crème fraîche**
- **1 c. à soupe de tamari**
- **1/2 c. à café de gingembre en poudre**
- **1 pincée de muscade râpée**
- **sel**

Sauce
- **30 g de beurre**
- **30 g de farine**
- **1 petit bouquet garni**
- **2 gousses d'ail**
- **1 l. d'eau**

• Préparer la sauce : dans une casserole, faire fondre le beurre, ajouter la farine en mélangeant bien le tout. Cuire quelques minutes sans laisser prendre couleur. Verser l'eau petit à petit, amener à ébullition sans cesser de fouetter.
• Peler et hacher l'ail. Ajouter à la préparation le miso, le bouquet garni et l'ail. Laisser cuire 30 minutes sur feu doux. Passer le tout au chinois grille fine. Laisser refroidir au réfrigérateur.
• Eplucher et mixer l'avocat avec le jus de citron.
• Ajouter la purée d'avocats à la sauce très froide, puis la muscade, le gingembre, le tamari, le sel et la crème fraîche.
• Goûter et rectifier l'assaisonnement si nécessaire.
• Verser la préparation dans des assiettes de service, décorer de fleurs de capucine. Servir très frais.

CREPES FARCIES A L'ANETH

Préparation 40 minutes
Cuisson 50 minutes

Pour 4 personnes
- **150 g de chou vert**
- **150 g de pomme Granny Smith**
- **80 g d'oignon**
- **50 g de poivron vert**
- **40 g de poivron rouge**
- **1 c. à café d'aneth hachée**
- **quelques branches d'aneth**
- **1 dl de crème liquide**
- **20 g de graisse végétale**
- **1/2 citron**
- **sel**

Pâte
- **125 g de farine**
- **25 cl de lait**
- **1 œuf**
- **1 c. à soupe d'huile d'arachide**
- **1 pincée de sel**

• Dans la cuve d'un mixeur, mettre la farine, l'œuf, l'huile et le sel. Mixer en ajoutant petit à petit le lait, laisser tourner 1 minute. Faire cuire 8 crêpes très fines à la poêle. Réserver.
• Peler et hacher les oignons. Dans une casserole, les faire suer avec la graisse végétale.
• Epépiner les poivrons, les tailler en lanières et les émincer, les ajouter aux oignons.
• Laver le chou vert, l'émincer finement et l'ajouter aux légumes, laisser cuire 5 minutes.
• Peler les pommes, les émincer, les ajouter également. Saler, poivrer, poudrer d'aneth hachée. Laisser cuire à couvert sur feu doux pendant 20 à 25 minutes. Goûter et rectifier l'assaisonnement si nécessaire.
• Préchauffer le four th. 6 (180°).
• Garnir chaque crêpe de cette préparation, les déposer dans un plat à gratin et les glisser au four pour 10 minutes.
• Napper les crêpes de crème fraîche salée, citronner légèrement et décorer de branches d'aneth. Servir aussitôt.

CYGNES BASQUAISE

Préparation 40 minutes
Cuisson 30 minutes

Pour 4 personnes
- **250 g de tomates**
- **100 g d'oignons**
- **80 g de poivron rouge**
- **80 g de poivron vert**
- **4 gousses d'ail**
- **quelques branches de cerfeuil**
- **1 bouquet garni**
- **4 œufs**
- **2 c. à soupe d'huile d'olive**

Pâte à choux
- **150 g de farine**
- **100 g de graisse végétale**
- **5 œufs**
- **25 cl d'eau**
- **sel**

• Préparer la pâte à choux : dans une casserole, verser l'eau, ajouter la graisse végétale coupée en morceaux et le sel. Porter à ébullition.
• Passer la farine au tamis et la verser en une seule fois dans l'eau bouillante, remuer énergiquement à la spatule. Dessécher un peu la pâte sur feu vif pendant 1 à 2 minutes.
• Hors du feu incorporer un à un les œufs toujours en remuant à la spatule.
• Préchauffer le four th. 6 (180°).
• A l'aide d'une poche à douille (grosse douille unie), dessiner sur une plaque à pâtisserie beurrée le corps des cygnes en formant 4 grosses poires. Sur une autre plaque beurrée, dessiner 4 "S" pour faire la tête et le cou des cygnes avec une douille plus fine. Glisser les deux plaques au four pour 15 à 20 minutes.
• Eplucher les oignons. Les couper en dés ainsi que les poivrons. Peler et hacher l'ail. Peler, épépiner et concasser la tomate.
• Dans une casserole, faire chauffer l'huile d'olive, y faire revenir les oignons et les poivrons pendant 15 minutes en remuant de temps en temps, ajouter l'ail, le bouquet garni et la tomate. Saler, couvrir et laisser mijoter 15 à 20 minutes sur feu doux.
• Battre les œufs en omelette. Retirer le bouquet garni et verser les œufs. Remuer le tout comme une brouillade pendant quelques minutes.
• Couper les choux en deux dans l'épaisseur et les garnir de la préparation.
• Couper en deux dans le sens de la longueur, les chapeaux et les piquer dans la brouillade pour imiter les ailes. Planter également les "S" sur la partie la plus arrondie pour faire le cou.
• Poudrer de persil haché et servir aussitôt avec quelques branches de cerfeuil.

DOLMAS AUX FEUILLES DE VIGNE

Préparation 40 minutes
Cuisson 55 minutes

Pour 4 personnes

- **8 feuilles de vigne**
- **150 g de riz**
- **80 g d'oignon**
- **80 g de courgette**
- **50 g de raisins secs**
- **50 g de pignons**
- **1 citron 1/2**
- **1 c. à café de curry**
- **1 c. à soupe de tamari**
- **5 c. à soupe d'huile d'olive**
- **sel**

- Faire blanchir les feuilles de vigne 3 minutes dans de l'eau bouillante salée, les passer sous l'eau froide, les égoutter et les réserver.
- Eplucher et hacher les oignons. Laver les courgettes, les couper en petits dés.
- Préchauffer le four th. 6 (180°).
- Faire dorer les pignons au four.
- Dans une casserole, faire chauffer 1 c. à soupe d'huile d'olive, y faire revenir les oignons 5 minutes. Ajouter les courgettes, les raisins secs et le riz. Mouiller d'une fois et demie le volume de riz, ajouter le jus d'1/2 citron, le curry, le sel. Couvrir et laisser cuire au four 15 minutes.
- Retirer le plat du four, incorporer les pignons dorés. Goûter et rectifier l'assaisonnement si nécessaire.
- Farcir les feuilles de vigne de cette préparation, rabattre les côtés et les rouler en les serrant bien.
- Les déposer délicatement dans un plat à gratin les unes contre les autres. Mouiller avec 25 cl d'eau additionnée du reste de jus de citron, de 5 g de sel, du tamari et du reste d'huile d'olive.
- Glisser au four pour 30 à 35 minutes. Laisser refroidir.
- Servir bien froid avec du persil en branche.

FEUILLES DE BRICK A LA CHINOISE

Préparation 35 minutes
Cuisson 20 minutes

Pour 4 personnes
- **8 feuilles de brick**
- **100 g de carotte**
- **100 g de courgette**
- **80 g de germes de soja**
- **80 g de champignons de Paris**
- **80 g de chou-fleur**
- **80 g de poireau**
- **50 g de chou vert**
- **10 g de céleri**
- **2 cébettes**
- **2 cœurs de palmier**
- **1 œuf**
- **1 c. à café de gingembre en poudre**
- **2 c. à soupe tamari**
- **1 pincée de muscade râpée**
- **25 cl d'huile d'arachide**
- **sel, poivre**

Décor
- **1 petite laitue**
- **4 branches de menthe**
- **4 branches de coriandre frais**
- **4 rondelles de concombre**
- **4 rondelles de carotte**
- **4 branches de persil frisé**

- Eplucher et laver les légumes.
- Emincer en julienne les carottes, le chou vert, les courgettes et les champignons.
- Couper en paysanne et en biais (morceaux assez gros), les cébettes, les poireaux, le céleri, le chou-fleur et les cœurs de palmier.
- Dans un saladier, mettre tous les ingrédients, ajouter les germes de soja, le sel, le poivre, la muscade et le gingembre. Bien mélanger le tout.
- Dans une poêle, faire chauffer 1 cuillère à soupe d'huile, lorsque l'huile est fumante, ajouter les légumes par petite quantité et les faire sauter 4 à 5 minutes. Déglacer avec un peu de tamari, les retirer à l'aide d'une écumoire, les déposer dans un saladier et recommencer l'opération jusqu'à épuisement des ingrédients.
- Battre l'œuf en omelette, l'ajouter à la préparation, bien mélanger le tout. Goûter et rectifier l'assaisonnement si nécessaire.
- Garnir les feuilles de brick avec 2 bonnes cuillères à soupe de farce, les rouler et les faire dorer à la poêle dans l'huile bien chaude, les retourner de temps en temps pour bien les dorer, les déposer sur du papier absorbant.
- Trier et laver la laitue, retirer les côtes, en tapisser les assiettes de service ranger dessus les feuilles de brick, décorer de persil, de menthe, de coriandre, de carotte et de concombre. Servir aussitôt.

FLAN DE CONCOMBRE EN SALADE

Préparation 30 minutes
Cuisson 30 minutes

Pour 4 personnes
- **300 g de concombre**
- **1/4 de chicorée frisée**
- **1/2 salade de Trévise**
- **4 radis**
- **30 g d'échalotes**
- **4 œufs**
- **5 g de beurre**
- **25 cl de lait de soja**
- **1/2 dl de vin blanc sec**
- **1 pincée de muscade**
- **quelques branches de persil**
- **sel, poivre**

Sauce
- **25 cl de crème fleurette**
- **1 échalote**
- **1/4 du jus d'1 citron**
- **quelques gouttes de tamari**
- **1 pincée de muscade**
- **sel, poivre**

- Préchauffer le four th. 5 (150°).
- Eplucher et hacher les échalotes.
- Dans une casserole, faire fondre le beurre, y faire revenir les échalotes pendant 1 minute, mouiller avec le vin blanc et porter à ébullition, laisser réduire.
- Eplucher et égrainer le concombre. Le couper en rondelles, les blanchir 1 minute dans de l'eau bouillante salée pour retirer l'âcreté. Les ajouter aux échalotes. Laisser cuire 15 minutes sur feu doux.
- Dans la cuve d'un mixeur, mettre le tout pour réduire en une purée très fine.
- Dans un saladier, verser le lait de soja, ajouter les œufs battus, la muscade, sel et poivre. Bien mélanger, puis incorporer la purée de concombre.
- Beurrer largement 4 moules à savarin individuels ou 4 ramequins. Verser la préparation dans les moules. Les déposer dans un plat à gratin et verser un peu d'eau au fond du plat. Glisser au four pour 30 minutes. Attention, il ne faut pas que l'eau bout ni que le dessus des flans colore trop vite.
- Laisser refroidir puis mettre les moules au réfrigérateur.
- Nettoyer et laver la chicorée, la Trévise et les radis. Répartir ce mélange de salades dans les assiettes de service. Réserver au frais.
- Préparer la sauce : éplucher et émincer l'échalote, la plonger dans de l'eau bouillante salée pendant 1 minute. Mixer finement.
- Dans une jatte, mettre la crème fleurette, l'échalote, la muscade, le jus de citron, quelques gouttes de tamari, sel et poivre. Fouetter le tout 3 minutes et réserver dans un bol.
- Démouler les flans bien froids, les déposer au centre des assiettes sur la salade. Décorer de branches de persil. Servir aussitôt avec la sauce à part.

GALETTE DE BLE A L'ESTRAGON

Préparation 15 minutes
Cuisson 20 minutes

Pour 4 personnes

- **100 g de blé à germer moulu**
- **50 g de champignons de Paris**
- **1/4 de c. à café d'ail finement haché**
- **1 c. à café de persil haché**
- **1 c. à café de ciboulette ciselée**
- **2 c. à café d'estragon haché**
- **2 c. à soupe de cébettes ou échalotes émincées**
- **1 pincée de thym, de sarriette, de marjolaine**
- **1/2 c. à soupe de levure alimentaire maltée**
- **1 c. à soupe d'huile**
- **30 g de graisse végétale**
- **sel, poivre**

• Concasser le blé à l'aide d'un moulin à céréales ou à café ou encore le piler à l'aide d'un mortier et d'un pilon.
• Eplucher et laver les champignons, les émincer finement.
• Dans un saladier, mettre les céréales, les herbes, les champignons, la levure. Saler, poivrer. Bien mélanger le tout. Ajouter de l'eau afin d'obtenir une pâte compacte.
• Dans une poêle, faire chauffer l'huile et la graisse végétale, y étaler la pâte pour en faire une crêpe épaisse de 2 cm. Lorsqu'elle est bien dorée d'un côté, la retourner délicatement et faire cuire l'autre côté.
• Servir bien chaud avec un assortiment de salades.

HERBES AU GRATIN

Préparation 20 minutes
Cuisson 30 minutes

Pour 4 personnes

- **400 g de vert de blettes**
- **400 g d'épinards**
- **80 g de poireaux**
- **50 g d'échalotes**
- **50 g de cresson**
- **2 gousses d'ail**
- **1 c. à soupe de persil haché**
- **1 c. à soupe de cerfeuil haché**
- **1 c. à soupe de ciboulette émincée**
- **1 c. à café d'estragon haché**
- **1 c. à café d'herbes de Provence hachées**
- **2 œufs**
- **1 dl de lait**
- **50 g de parmesan râpé**
- **150 g de pain au levain**
- **2 c. à soupe de chapelure**
- **1 filet d'huile d'olive**
- **sel**

• Faire tremper le pain dans un peu d'eau.

• Laver les blettes et les épinards, les plonger 5 minutes dans de l'eau bouillante salée, les passer sous l'eau froide et les égoutter. Les presser pour retirer l'excédent d'eau et les hacher finement.

• Eplucher les échalotes. Laver les poireaux et le cresson. Emincer les poireaux, les hacher finement avec le cresson et les échalotes. Peler et hacher l'ail.

• Préchauffer le four th. 6 (180°).

• Dans un saladier, mettre le pain pressé, les blettes, les épinards, les poireaux, le cresson, les échalotes, les œufs battus en omelette, le lait, le parmesan, le persil, le cerfeuil, la ciboulette, l'estragon, les herbes de Provence et l'ail. Saler. Bien mélanger le tout.

• Verser la préparation dans un plat à gratin préalablement huilé, poudrer de chapelure et arroser d'un filet d'huile d'olive.

• Glisser le plat au four pour 30 minutes. Servir bien chaud.

LAITUE A L'EMINCE DE CRUDITES

Préparation 25 minutes
Pas de cuisson

Pour 4 personnes
- **1 belle laitue**
- **200 g de carottes**
- **200 g de chou vert**
- **100 g de radis noir**
- **100 g de céleri-rave**

Sauce
- **6 c. à soupe d'huile d'olive**
- **le jus d'1 citron**
- **1/2 c. à café de sauce soja**
- **3 gouttes de Tabasco**
- **1 c. à soupe de ciboulette ciselée**
- **1/2 c. à café d'estragon haché**
- **1 pointe de couteau d'ail haché**
- **1 pincée d'herbes de Provence hachées**
- **sel**

- Trier la laitue, détacher les feuilles, les laver délicatement et réserver.
- Laver et éplucher les légumes. Râper ensemble les carottes, le radis noir et le céleri.
- Emincer en filaments les feuilles de chou vert. Mettre le tout dans un saladier.
- Préparer la sauce : dans un bol, mettre tous les ingrédients de la sauce et bien mélanger.
- Verser la sauce sur les légumes, bien remuer le tout et farcir chaque feuille de laitue, les rouler et maintenir fermées à l'aide d'une petite pique en bois.
- Servir bien frais.

NOQUES D'EPINARDS

Préparation 40 minutes
Cuisson 30 minutes

Pour 4 personnes
- **500 g d'épinards**
- **200 g de farine**
- **80 g de Comté râpé**
- **100 g de graisse végétale en pommade**
- **2 œufs**
- **2 jaunes d'œufs**
- **3 blancs d'œufs**
- **1 pincée de piment de Cayenne**
- **1 pincée de noix de muscade râpée**
- **sel**

• Trier les épinards, les laver et les plonger 2 minutes dans de l'eau bouillante salée. Les égoutter et les plonger dans de l'eau glacée. Les égoutter à nouveau, les presser fortement pour retirer l'excédent d'eau et les hacher finement.

• Dans une terrine, mettre la graisse végétale en pommade, les œufs entiers et les jaunes d'œufs, le piment de Cayenne, la noix de muscade et du sel. Bien mélanger le tout au fouet. Incorporer les épinards hachés à l'aide d'une spatule puis incorporer la farine tamisée.

• Battre les blancs d'œufs en neige très ferme, les incorporer à la préparation en soulevant la masse.

• Préchauffer le four th. 6 (180°).

• Porter une casserole d'eau à ébullition.

• A l'aide d'une cuillère à soupe, former les noques , les faire pocher au fur et à mesure dans l'eau bouillante. Dès qu'ils remontent à la surface, ils sont cuits. Les égoutter et les déposer dans un plat à gratin. Les poudrer de fromage râpé et glisser le plat au four pour 30 minutes. Servir aussitôt.

ŒUFS POCHES SUR FONDS D'ARTICHAUTS SAUCE HOLLANDAISE AU CITRON

Préparation 35 minutes
Cuisson 20 minutes

Pour 4 personnes
- **4 œufs**
- **4 gros artichauts**
- **1 citron**
- **100 g de pommes de terre**
- **4 branches de cerfeuil**
- **2 c. à soupe de vinaigre d'alcool**
- **10 g de beurre**
- **1 c. à café de paprika**
- **1 pincée de muscade râpée**
- **sel, poivre**

Sauce
- **200 g de beurre**
- **4 jaunes d'œufs**
- **2 c. à soupe de jus de citron**
- **le zeste d'1 citron émincé finement**
- **2 gouttes de Tabasco**
- **sel, poivre**

- Porter à ébullition une casserole d'eau salée.
- Retirer les feuilles et le foin des artichauts. Citronner les fond au fur et à mesure pour éviter qu'ils noircissent.
- Les plonger dans la casserole d'eau bouillante, verser le reste de jus de citron et laisser cuire 10 minutes (les fonds doivent rester fermes), réserver.
- Porter à ébullition une autre casserole d'eau avec le vinaigre. Y faire pocher les œufs un à un pendant 3 minutes. Les retirer délicatement et les plonger dans de l'eau glacée pour stopper la cuisson. Les égoutter et les réserver dans un plat.
- Eplucher, laver, émincer les pommes de terre. Les faire cuire dans de l'eau bouillante salée pendant 15 minutes.
- Dans la cuve d'un mixeur, mettre les pommes de terre, les réduire en purée. Ajouter ensuite le beurre pour lier, la muscade, le sel et le poivre. Réserver.
- Préparer la sauce : dans une casserole, faire fondre le beurre au bain-marie. Retirer les parties crémeuses afin d'obtenir un beurre clarifié.
- Dans un saladier, mettre les jaunes d'œufs avec 2 cuillères à soupe d'eau et le jus de citron. Poser dans un bain-marie et fouetter constamment les jaunes qui vont doubler de volume et épaissir : c'est un sabayon.
- Retirer le saladier du bain-marie , incorporer petit à petit en mélangeant au fouet le beurre clarifié. Saler ajouter le Tabasco. Réserver à température de 30 à 40°.
- Au moment de servir, plonger les artichauts dans de l'eau bouillante, les égoutter.
- Sur les assiettes de service, faire un feston de purée au bord de l'assiette à l'aide d'une poche à douille cannelée.
- Dresser les œufs pochés dans les fonds d'artichauts, les napper de sauce hollandaise, décorer de paprika, de branches de cerfeuil et du zeste de citron.

OMELETTE CORSE

Préparation 15 minutes
Cuisson 5 minutes

Pour 4 personnes
- **8 œufs**
- **200 g de fromage de brebis frais**
- **2 c. à soupe d'huile d'olive**
- **1 c. à soupe de persil haché**
- **4 branches de menthe**
- **1 bouquet de persil**
- **sel, poivre**

- Réserver 4 belles feuilles de menthe et hacher le reste.
- Dans un saladier, battre les œufs en omelette.
- Couper le fromage en dés. Mélanger les dés de fromage, la menthe et le persil hachés, saler et poivrer. Ajouter les œufs. Mélanger à nouveau.
- Dans une poêle, faire chauffer l'huile d'olive, y faire cuire l'omelette, la rouler sur un plat.
- Décorer de feuilles de menthe, servir aussitôt avec le bouquet de persil.

PETITS PATES RIVIERA

Préparation 1 heure 20
Cuisson 30 minutes

Pour 4 personnes

Pâte sablée
- **125 g de farine**
- **1 œuf**
- **2 c. à soupe d'huile d'olive**
- **2 c. à soupe d'eau tiède**
- **1 pincée de sel**

Farce
- **200 g de courgettes**
- **80 g d'échalotes**
- **1 pincée de thym**
- **1 pincée de sarriette**
- **1 c. à soupe de ciboulette émincée**
- **1 c. à soupe de basilic haché**
- **1 c. à soupe d'huile d'olive**
- **sel, poivre**

Garniture
- **40 g de pignons**
- **quelques feuilles de basilic**
- **1 jaune d'œuf**

• Préparer la pâte : dans une jatte, mettre la farine en fontaine, ajouter au centre tous les ingrédients, pétrir du bout des doigts jusqu'à ce que la pâte soit homogène et ne colle plus aux parois. L'envelopper dans une feuille de papier film et la laisser reposer 1 heure.
• Préparer la farce : éplucher et émincer les échalotes, les faire suer dans une casserole sur feu doux avec l'huile d'olive, le thym, la sarriette.
• Laver et émincer les courgettes, les ajouter à la préparation, saler, poivrer et laisser cuire à couvert 10 minutes. Retirer le couvercle et remuer de temps en temps jusqu'à ce qu'il n'y ait plus de liquide. Mixer le tout.
• Ajouter le basilic et la ciboulette à la préparation. Laisser refroidir.
• Préchauffer le four th. 6/7 (200°).
• Abaisser la pâte sur 2 millimètres d'épaisseur et découper à l'emporte-pièce 8 ronds de 8 centimètres de diamètre.
• Ranger 4 ronds de pâte sur une plaque à pâtisserie huilée, les passer au jaune d'œuf battu. Déposer au centre 3 cuillères de farce. Recouvrir avec les morceaux de pâte restants en soudant les bords.
• Dorer la surface au jaune d'œufs et déposer dessus quelques pignons de pins.
• Glisser au four pour 25 à 30 minutes.
• Servir bien chaud avec quelques feuilles de basilic fraîches.

QUARTIERS D'ARTICHAUTS A LA GRECQUE

Préparation 20 minutes
Cuisson 15 minutes

Pour 4 personnes
- **4 artichauts**
- **150 g de petits oignons**
- **250 g de tomates bien mûres**
- **1 citron**
- **1/2 c. à café de persil**
- **1/2 c. à café de cerfeuil**
- **1/2 c. à café de coriandre en poudre**
- **1 bouquet garni**
- **1 pincée d'estragon haché**
- **25 cl de vin blanc sec**
- **1 c. à café d'huile d'olive**
- **quelques gouttes de Tabasco**

• Eplucher les petits oignons.

• Tourner les artichauts : retirer les feuilles puis le foin. Les frotter avec un demi citron pour éviter qu'ils noircissent. Les couper en quatre.

• Retirer le pédoncule des tomates, les monder, les peler, les épépiner et les concasser.

• Dans une petite cocotte, faire revenir les petits oignons avec l'huile d'olive sur feu vif. Dès qu'il colorent, ajouter les quartiers d'artichauts, les tomates, le jus du demi citron, le vin blanc, la coriandre, le persil, le cerfeuil, l'estragon et le bouquet garni. Assaisonner avec le Tabasco et le sel. Couvrir et laisser cuire à vive ébullition pendant 6 à 7 minutes. Découvrir afin de faire évaporer le liquide de cuisson, en garder juste assez pour enrober les légumes.

• Garder les artichauts et les oignons un peu fermes, arrêter le feu et retirer le bouquet garni.

• Présenter dans un plat creux et servir aussitôt avec du persil haché.

SAINT-GERMAIN AUX CROUTONS

Préparation 20 minutes
Cuisson 50 minutes

Pour 4 personnes

- **500 g de pois cassés**
- **50 g d'oignon**
- **50 g de vert de poireau**
- **50 g de carotte**
- **2 gousses d'ail**
- **1 bouquet garni**
- **1 clou de girofle**
- **1 c. à soupe d'huile d'olive**
- **4 c. à soupe de crème fraîche épaisse**
- **4 tranches de pain complet**
- **gros sel**
- **sel fin**

- Dans une casserole, mettre les pois cassés, mouiller avec 2 fois leur volume d'eau froide. Porter à ébullition, retirer l'écume. Après 2 minutes de bouillons, les égoutter et les passer sous l'eau froide.
- Eplucher et émincer les carottes, les oignons. Peler et écraser l'ail.
- Dans une marmite, faire chauffer l'huile d'olive. Ajouter les carottes, les oignons, les poireaux et l'ail. Faire suer pendant 5 minutes. Ajouter les pois cassés et 1 litre 1/2 d'eau ainsi que le bouquet garni et le clou de girofle. Saler et amener à ébullition. Couvrir et laisser cuire sur feu doux pendant 45 minutes.
- Frotter les tranches de pain avec l'ail, les couper en dés. Les passer au four pour les rendre croustillants.
- Dès que les pois cassés sont fondants, retirer le bouquet garni.
- Verser la préparation dans la cuve d'un mixeur et réduire le tout en purée. Passer la préparation au chinois grille fine.
- Verser dans une soupière, ajouter la crème fraîche et mélanger.
- Servir le potage avec les croûtons.

SALADE AMERICAINE

Préparation 20 minutes
Pas de cuisson

Pour 4 personnes
- **200 g de céleri-rave**
- **200 g d'ananas**
- **200 g de pomme fruits**
- **1 botte de radis roses**
- **quelques branches de cerfeuil**

Sauce
- **6 c. à soupe d'huile de colza**
- **1 c. à soupe de jus de citron**
- **1 c. à café de tamari**
- **1 c. à soupe de persil haché**
- **1 c. à café d'estragon haché**
- **1 c. à café de muscade râpé**

• Eplucher les légumes et les fruits. Couper le céleri-rave, l'ananas et la pomme en petits dés. Emincer les radis en rondelles fines.
• Dans un saladier, mettre tous les ingrédients.
• Préparer la sauce : dans un bol, mélanger les composants de l'assaisonnement et verser sur la salade. Mélanger délicatement.
• Déposer la salade en dôme sur des assiettes de service, décorer de branches de cerfeuil. Servir bien frais.

SALADE DE CHICOREE AU LUPIN

Préparation 20 minutes
Cuisson 5 minutes

Pour 4 personnes
- **1 petite salade chicorée frisée**
- **200 g de lupin doux au naturel**
- **1 échalote**
- **1 gousse d'ail**
- **1 c. à soupe de persil haché**
- **1 c. à café d'estragon**
- **2 tranches de pain complet**
- **1 dl d'huile de sésame**
- **1 c. à café de vinaigre de vin rouge**
- **sel, poivre**

- Trier la chicorée en retirant les côtes centrales, la laver et l'essorer.
- Peler l'ail. Frotter les tranches de pain avec l'ail, les couper en dés. Les passer au four pour les rendre croustillants.
- Eplucher et hacher l'échalote. Hacher l'ail.
- Dans un saladier, mettre le sel, le poivre, le vinaigre, l'échalote, le persil, l'estragon, l'ail et l'huile. Bien mélanger le tout.
- Ajouter la salade, les lupins bien égouttés et les croûtons. Remuer à nouveau délicatement et servir frais.

SALADE DE LAITUE AU RAITA DE CONCOMBRE

Préparation 45 minutes
Pas de cuisson

Pour 4 personnes
- **1 laitue**
- **1 concombre**
- **2 yaourts nature**
- **1 c. à café de graines de carvi hachées**
- **1 c. à soupe de menthe hachée + 4 belles feuilles**
- **2 c. à soupe d'oignons hachés**
- **1 c. à café de sel fin**

• Trier et laver la laitue. L'émincer en chiffonnade. Réserver.

• Peler le concombre, le couper en deux dans le sens de la longueur. Retirer les graines à l'aide d'une petite cuillère et émincer finement la chair. Saler le concombre et le mettre à dégorger pendant 30 minutes dans une passoire, puis le presser pour retirer l'excédent d'eau.

• Dans un saladier, mélanger les yaourts, le carvi, la menthe hachée, les oignons. Ajouter le concombre remuer délicatement le tout.

• Sur des assiettes de service, déposer les feuilles de laitue, répartir la raïta et décorer de feuilles de menthe. Servir bien frais.

SALADE DES LORDS

Préparation 20 minutes
Cuisson 3 minutes

Pour 4 personnes
- **1 laitue**
- **4 oranges**
- **30 g d'amandes effilées**
- **30 g de pignons**
- **4 branches de cerfeuil**
- **1 c. à soupe de jus de citron**
- **2 dl. de crème liquide**
- **2 gouttes de Tabasco**
- **5 gouttes de tamari**
- **sel, poivre**

• Trier les feuilles de laitue en retirant les côtes centrales, les laver et les déposer bien à plat sur des assiettes.

• Peler les zestes de 2 oranges, les émincer finement, les faire blanchir 1 minute dans de l'eau bouillante, les passer sous l'eau froide et les égoutter.

• Eplucher à vif les oranges et dégager les quartiers à l'aide d'un petit couteau bien aiguisé, les déposer sur les feuilles de laitue.

• Préchauffer le four th. 6 (180°). Sur une plaque à pâtisserie, déposer d'un côté les amandes effilées et de l'autre les pignons, glisser la plaque au four pour les faire légèrement dorer.

• Parsemer la salade d'amandes, de pignons et de zestes d'orange. Décorer de branches de cerfeuil.

• Mélanger le jus de citron, le Tabasco, le tamari, sel, poivre et la crème fraîche.

• Battre légèrement la crème pour la faire gonfler et la rendre plus légère.

• Servir aussitôt avec la crème à part.

SAVARINS A LA TOMATE

Préparation 1 heure
Cuisson 30 minutes

Pour 4 personnes
- **600 g de tomates bien mûres**
- **1 c. à soupe de tamari**
- **quelques gouttes de Tabasco**
- **sel**

Pâte
- **100 g de farine**
- **80 g de beurre**
- **10 g de sucre**
- **1 œuf**
- **5 g de levure**
- **3 c. à soupe de lait**
- **1 pincée de sel**

Crème
- **25 cl de crème fraîche liquide**
- **1 c. à soupe de concentré de tomates**
- **1 c. à café de tamari**
- **1 c. à café de jus de citron**
- **quelques gouttes de Tabasco**

• Dans une petite casserole, faire fondre le beurre.
• Préparer la pâte à savarin : délayer la levure dans le lait tiède. Dans un saladier, mettre la farine en fontaine avec le sel, le sucre, l'œuf. Verser la levure délayée, mélanger en battant bien le tout. Incorporer le beurre fondu et continuer à battre énergiquement pendant 5 minutes.
• Beurrer des moules à savarin individuels, verser la préparation en les remplissant à moitié et faire lever dans un endroit tiède.
• Préchauffer le four th. 6 (180°).
• Glisser les moules au four pour 25 minutes.
• Les laisser refroidir avant de les démouler.
• Préparer le jus de tomates : laver les tomates, retirer les pédoncules. Passer 400 g de tomates au moulin à légumes. Verser le jus recueilli dans une casserole, ajouter le tamari, le Tabasco et 25 cl d'eau. Faire tiédir.
• Verser le jus sur les savarins afin de bien les imbiber. Monder et peler le reste de tomates, les couper en petits quartiers et en décorer les savarins.
• Préparer la crème : dans un saladier, mettre la crème et la fouetter jusqu'à ce qu'elle soit bien prise en chantilly. Ajouter le concentré de tomate, le Tabasco, le tamari, le jus de citron et le sel en mélangeant délicatement en soulevant la masse.
• A l'aide d'une poche à douille cannelée, décorer le centre des savarins de Chantilly à la tomate. Servir bien frais.

SOUPE AIGO-GOURMANDO

Préparation 30 minutes
Cuisson 30 minutes

Pour 4 personnes

- **200 g de tomates bien mûres**
- **200 g de pommes de terre**
- **150 g d'oignons**
- **150 g de poireaux**
- **1/2 branche de céleri**
- **1/4 de fenouil**
- **5 gousses d'ail**
- **1 pincée de zeste d'orange haché**
- **1 c. à soupe d'huile d'olive**
- **5 g de safran**
- **1 branche de thym**
- **1 feuille de laurier**
- **1 c. à soupe de persil haché**
- **4 œufs**
- **2 c. à soupe de vinaigre d'alcool**
- **4 tanches de pain complet**
- **sel, poivre**

• Eplucher, laver et couper en lamelles le poireau, les oignons, le fenouil et le céleri.
• Dans une casserole, faire suer les légumes à l'huile d'olive et à découvert.
• Eplucher et hacher finement 4 gousses d'ail.
• Laver, monder et peler et concasser les tomates.
• Ajouter à la préparation, l'ail, les tomates, le safran, le thym, le laurier et le zeste d'orange. Mouiller avec 1 litre d'eau, porter à ébullition. Saler et poivrer et laisser cuire 10 minutes.
• Eplucher et laver les pommes de terre, les émincer en tranches d'1/2 centimètre d'épaisseur. Les ajouter à la soupe et laisser cuire encore 15 minutes.
• Griller les tranches de pain et les frotter avec la gousse d'ail restante.
• Porter à ébullition une casserole remplie à moitié d'eau aromatisée de vinaigre. Y faire pocher les œufs un à un pendant 3 minutes dans l'eau frémissante. Les retirer délicatement et les plonger dans de l'eau glacée pour stopper la cuisson. Les égoutter sur une assiette.
• Répartir la soupe dans des assiettes de service, ajouter 1 œuf par personne. Poudrer de persil haché et servir aussitôt avec les toasts à part.

SOUPE AUX MARRONS

Préparation 50 minutes
Cuisson 1 heure 15

Pour 4 personnes
- **300 g de châtaignes**
- **30 g de bulbe de fenouil**
- **15 g de céleri en branche**
- **1 verre de crème fraîche**
- **1 c. à soupe de cerfeuil haché**
- **4 tranches de pain complet**
- **40 g de beurre**
- **sel, poivre**

- Eplucher et laver le fenouil et le céleri. Les couper en lamelles.
- Fendre d'un coup de couteau les châtaignes et les plonger 10 minutes dans de l'eau chauffée à vive ébullition. Les égoutter et les éplucher soigneusement. Les couper en quatre et les faire cuire 1 heure sur petit feu dans 1 litre 1/2 d'eau avec le fenouil et le céleri. Saler et poivrer.
- En fin de cuisson, écraser le tout à la fourchette pour donner une liaison à la soupe. Ajouter la crème fraîche et mélanger le tout.
- Juste au moment de servir, incorporer le cerfeuil haché.
- Servir bien chaud avec les tranches de pain toastées et beurrées.

TERRINE D'AUBERGINES AU COULIS DE TOMATES

Préparation 1 heure
Cuisson 1 heure 45

Pour 4 personnes
- **600 g d'aubergines**
- **200 g d'oignons**
- **1 gousse d'ail**
- **1 c. à soupe de persil haché**
- **1 c. à soupe d'huile d'olive**
- **50 g de pain complet**
- **2 œufs**
- **sel, poivre**

Coulis de tomates
- **500 g de tomates bien mûres**
- **150 g d'oignons**
- **2 gousses d'ail**
- **1 bouquet garni**
- **1 belle branche de basilic**
- **1 c. à soupe d'huile d'olive**

• Préchauffer le four th. 7 (210°).
• Laver les aubergines, les couper en deux dans le sens de la longueur. Les inciser et les disposer sur une plaque à pâtisserie. Les arroser d'un filet d'huile d'olive et les glisser au four pour 45 minutes.
• Faire tremper le pain dans un peu d'eau.
• Sortir les aubergines du four, le baisser au th. 5/6 (160°).
• A l'aide d'une cuillère, retirer la pulpe des aubergines.
• Tapisser un moule à cake huilé avec les peaux des aubergines.
• Essorer le pain, le mixer et réserver.
• Peler l'ail, le hacher avec le persil.
• Eplucher et hacher les oignons.
• Dans une casserole, faire fondre les oignons avec l'huile d'olive pendant 4 minutes, retirer du feu, ajouter la pulpe d'aubergine finement hachée, le pain trempé, le mélange persil-ail et les œufs. Saler et poivrer. Bien mélanger le tout.
• Garnir la terrine de cette préparation et faire cuire au bain-marie 1 heure.
• Préparer le coulis de tomates : monder, peler et épépiner les tomates, les concasser. Peler et hacher l'ail et les oignons.
• Dans une sauteuse, faire suer les oignons dans l'huile d'olive pendant 5 minutes. Ajouter le bouquet garni, l'ail, les tomates. Laisser cuire à découvert sur petit feu pendant 20 minutes. Saler et poivrer.
• Retirer la casserole du feu, ajouter le basilic finement ciselé (réserver 4 belles feuilles pour la décoration).
• Démouler la terrine tiède ou froide, décorer de basilic.
• Servir aussitôt avec le coulis de tomates à part chaud ou froid.

les Plats principaux

AIOLI DE LEGUMES

Préparation 30 minutes
Cuisson 25 minutes

Pour 4 personnes
- **4 pommes de terre**
- **4 petites carottes**
- **2 courgettes**
- **4 petits oignons**
- **2 poireaux**
- **1/4 de chou-fleur**
- **1/2 pied de céleri**
- **4 petites tomates**
- **4 gousses d'ail**
- **4 cébettes**
- **4 œufs**
- **gros sel**

Aïoli
- **1 jaune d'œuf**
- **1 c. à café de moutarde**
- **2 gousses d'ail**
- **25 cl d'huile d'olive**
- **le jus d'1 citron**
- **sel, poivre**

• Eplucher et laver tous les légumes (pour les courgettes, laisser une languette de peau sur deux). Peler et écraser l'ail.
• Dans de l'eau bouillante salée, faire cuire les pommes de terre, les carottes, les courgettes coupées en deux, les oignons, les poireaux coupés en deux et ficelés, le chou-fleur détaillé en bouquets, le céleri tronçonné et l'ail. Ils doivent être "al dente".
• A la fin de cuisson des légumes, ajouter les œufs pour 10 minutes afin qu'ils soit durs.
• Dès que les légumes sont cuits, les égoutter et les déposer dans un plat de service. Enfiler tous les légumes sur les brochettes en alternant les couleurs.
• Ecaler les œufs. Laisser refroidir.
• Préparer l'aïoli : dans un bol, mettre la moutarde, le sel, le poivre, le jus de citron, l'ail pelé et haché, le jaune d'œuf, mélanger au fouet. Puis commencer à verser l'huile d'olive d'abord goutte-à-goutte tout en continuant de fouetter, puis en filet dès que la mayonnaise devient plus ferme. Goûter et rectifier l'assaisonnement si nécessaire. Attention, tous les ingrédients doivent être à température ambiante.
• Servir aussitôt avec les légumes chauds et les œufs durs.

ARTICHAUTS EN GRATIN

Préparation 30 minutes
Cuisson 30 minutes

Pour 4 personnes
- **4 artichauts bretons ou macau**
- **100 g d'oignon**
- **100 g de pain complet**
- **1 gousse d'ail**
- **1 c. à soupe de persil haché**
- **50 g de parmesan**
- **4 c. à soupe d'huile d'olive**
- **sel, poivre**

- Faire tremper le pain dans de l'eau chaude.
- Retirer les feuilles et le foin des artichauts. Les émincer et les huiler pour éviter qu'ils noircissent avec 1 cuillère à soupe d'huile d'olive.
- Presser le pain et l'émietter.
- Eplucher et hacher l'ail et l'oignon. Dans une casserole, faire chauffer 1 cuillère à soupe d'huile d'olive et y faire blondir l'ail et l'oignon. Retirer du feu, mettre dans une jatte l'oignon, l'ail, le persil haché et le pain. Saler et poivrer.
- Préchauffer le four th 6 (180°).
- Huiler un plat à gratin avec 1 cuillère à soupe d'huile d'olive, déposer au fond du plat les artichauts, les recouvrir de la préparation, poudrer de parmesan et verser le reste d'huile d'olive. Glisser au four pour 30 minutes.
- Servir aussitôt.

BLETTES A LA MARSEILLAISE

Préparation 30 minutes
Cuisson 30 minutes

Pour 4 personnes

- **1 kg 500 de vert de blettes**
- **400 g de pommes de terre**
- **50 g d'oignon**
- **50 g de fenouil bulbe**
- **2 gousses d'ail**
- **1 petit bouquet de persil**
- **4 œufs**
- **2 c. à soupe d'huile d'olive**
- **3 g de safran**
- **1 pincée de poivre de Cayenne**
- **sel**

• Peler et hacher l'ail et les oignons.
• Faire blanchir le vert des blettes 2 minutes dans de l'eau bouillante salée, le passer sous l'eau froide, égoutter, presser fortement et concasser.
• Eplucher et laver les pommes de terre. Les couper en tranches de 2 millimètres.
• Dans une cocotte en fonte ou en terre cuite, faire fondre les oignons à l'huile d'olive, ajouter l'ail sans le laisser colorer puis, les blettes. Mélanger et laisser cuire sur feu doux 5 minutes.
• Lorsque les blettes sont un peu desséchées, ajouter les pommes de terre, le Cayenne, le safran et le sel. Ajouter le fenouil coupé en lanières fines et mouiller avec 75 cl d'eau bouillante. Continuer la cuisson à couvert, à petit feu jusqu'à ce que les pommes de terre soient tendres.
• Casser les œufs un à un sur la préparation et laisser cuire encore 3 minutes. Poudrer de persil haché. Servir tel quel sur la table.

BOHEMIENNE AUX GALETTES DE POIS CHICHES

Préparation 40 minutes
Cuisson 1 heure

Pour 4 personnes
- **400 g d'oignons**
- **300 g d'aubergines**
- **300 g de courgettes douces**
- **200 g de poivron rouge**
- **100 g de poivron vert**
- **1 gousse d'ail**
- **1 bouquet garni**
- **2 c. à soupe d'huile d'olive**

Galettes
- **300 g de pois chiches**
- **100 g d'oignons**
- **100 g de carotte**
- **50 g de poireau**
- **1 feuille de sauge**
- **1 petite branche de sarriette**
- **1 gousse d'ail**
- **1 bouquet garni**
- **100 g de farine de pois chiches**
- **1 pincée de cumin**
- **2 c. à soupe d'huile d'olive**
- **gros sel, poivre**

- La veille, faire tremper les pois chiches dans de l'eau froide.
- Le jour même, préparer la bohémienne : éplucher les oignons, laver tous les légumes, les tailler en gros dés. Peler et hacher finement la gousse d'ail.
- Dans une cocotte, faire suer vivement les oignons avec l'huile d'olive, ajouter les poivrons, l'ail et le bouquet garni. Laisser cuire à couvert 20 minutes sur feu doux en remuant fréquemment.
- Dans une poêle, faire chauffer 1 cuillère à soupe d'huile d'olive, ajouter les aubergines et les courgettes et les faire sauter vivement. Les égoutter et les ajouter à la préparation. Saler et poivrer. Laisser cuire encore 20 minutes à découvert sur feu doux.
- Préparer les galettes : éplucher et hacher les oignons. Peler et écraser l'ail. Laver et éplucher les carottes et les poireaux, les couper en morceaux.
- Egoutter les pois chiches, les mettre dans une casserole, couvrir d'eau froide et porter à ébullition.
- Dès que l'eau bout, écumer et ajouter les oignons, les carottes, les poireaux, la sauge, la sarriette, le bouquet garni, l'ail et du gros sel. Maintenir à petite ébullition pendant 45 minutes.
- Dès que les pois chiches sont cuits, égoutter le tout et passer au moulin à légumes grille fine. Ajouter le cumin et poivrer. Puis incorporer la farine de pois chiches en remuant constamment afin d'obtenir une pâte consistante.
- Abaisser la pâte et façonner de gros boudins, les couper en tranches de 1 centimètre d'épaisseur.
- Les faire dorer à la poêle avec l'huile d'olive.
- Servir la bohémienne avec 5 petites galettes par personne.

CAKE D'AVOINE AUX PETITS OIGNONS

Préparation 40 minutes
Cuisson 40 minutes

Pour 4 personnes
- **150 g de flocons d'avoine**
- **50 g d'oignon**
- **1 bouquet garni**
- **2 feuilles de sauge**
- **120 g de farine**
- **100 g de beurre**
- **2 œufs**
- **1 c. à café d'huile d'arachide**
- **1/2 c. à café de baking powder**
- **1 pincée de sel**

Garniture
- **300 g de carottes**
- **200 g de petits oignons**
- **5 g de nori (algues)**
- **2 c. à soupe de crème fraîche**
- **10 g de graisse végétale**
- **1 c. à soupe d'arrow-root**
- **sel, poivre**

- Mettre le beurre à ramollir.
- Eplucher et hacher finement l'oignon.
- Dans une casserole, faire suer l'oignon avec l'huile d'arachide, ajouter 1 dl d'eau, le bouquet garni et la sauge. Laisser cuire 5 minutes à couvert à petites ébullitions.
- Incorporer les flocons en remuant jusqu'à ébullition et laisser reposer 15 minutes hors du feu.
- Pendant ce temps, dans une jatte, mettre le beurre amolli, les oeufs et une pincée de sel, fouetter le tout jusqu'à ce que le mélange devienne mousseux.
- Tamiser ensemble la farine et le baking powder. Les incorporer aux œufs à l'aide d'une spatule puis ajouter la préparation aux flocons d'avoine.
- Préchauffer le four th. 6/7 (185°).
- Beurrer un moule à cake, verser la pâte et glisser au four pour 40 minutes.
- Préparer la garniture : éplucher et laver les petits oignons. Eplucher, laver et couper les carottes en petits dés.
- Dans une casserole, faire suer les oignons avec la graisse végétale. Ajouter les carottes et laisser cuire à couvert 15 minutes sur feu doux.
- Ajouter les algues égouttées et 5 dl d'eau. Porter à ébullition, saler et poivrer. Laisser cuire 5 minutes.
- Ajouter l'arrow-root dilué dans 3 cuillères à soupe d'eau froide pour lier le tout, laisser mijoter 5 minutes. Goûter et rectifier l'assaisonnement si nécessaire.
- Démouler le cake chaud et le couper en tranches.
- Ajouter la crème fraîche à la préparation.
- Répartir les tranches de cake sur des assiettes de service, les napper de garniture. Servir aussitôt.

CASSOULET AUX CROQUETTES DE PIGNONS

Préparation 30 minutes
Cuisson 1 heure 45

Pour 4 personnes
- 300 g de haricots secs
- 1 branche de romarin
- 1 branche de sarriette
- 1 bouquet garni
- 3 gousses d'ail
- 50 g de céleri
- 2 feuilles de sauge
- 150 g d'oignons
- 150 g de poireaux
- 150 g de carottes
- 150 g de champignons de Paris
- 150 g de petits oignons
- 20 g de miso
- 25 g de graisse végétale
- 2 gousses d'ail
- 1 pincée de sauge hachée
- 1 pincée d'herbes de Provence
- 100 g de tofu
- 160 g de chapelure

Croquettes
- 20 g de graisse végétale
- 80 g de flocons d'orge
- 150 g d'oignons hachés
- 1 gousse d'ail hachée
- 50 g de tofu
- 80 g de chapelure
- 80 g de pain complet
- 1 œuf
- 20 g de gruyère râpé
- 25 g de levure alimentaire maltée
- 1 pincée d'herbes de Provence
- 1 c. à café de tamari
- 2 c. à soupe d'huile d'arachide
- sel, poivre

• La veille faire tremper les haricots dans de l'eau froide.

• Le jour même, les égoutter et les mettre dans une grande casserole. Les recouvrir d'eau froide et porter doucement à ébullition, écumer.

• Eplucher et laver les carottes, les poireaux, le céleri, les couper en très gros morceaux. Les ajouter aux haricots, ainsi que le bouquet garni, la sauge, la sarriette, l'ail et le romarin. Saler et poivrer.
Laisser cuire 1 heure 30.

• Dans une cocotte, faire revenir les oignons pelés dans la graisse végétale, la sauge hachée, le miso, l'ail haché et les herbes de Provence, ajouter les haricots égouttés, mouiller avec du jus de cuisson des haricots.

• Préchauffer le four th. 6 (180°).

• Couper le tofu en 4 tranches, les faire sauter vivement à la poêle avec l'huile d'arachide.

• Mettre les champignons lavés et le tofu dans la cocotte. Goûter et rectifier l'assaisonnement. Porter à petite ébullition 15 minutes.

• Verser le cassoulet dans un plat creux, poudrer de chapelure, faire gratiner au four 15 minutes.

• Préparer les croquettes : dans une casserole, faire chauffer la graisse végétale, ajouter les oignons, l'ail, les herbes de Provence, le tamari et du sel. Mélanger et faire suer 8 minutes sur feu doux.

• Dans la cuve d'un mixeur, mettre la préparation, le pain en morceaux, le tofu, l'œuf, la levure, le gruyère. Mixer 30 secondes. Incorporer à cette pâte les flocons d'orge.

• Façonner des croquettes de 3 centimètres de diamètre sur 1/2 centimètre d'épaisseur. Les faire dorer dans de l'huile chaude sur les deux faces 5 minutes. Servir le cassoulet bien chaud avec les croquettes.

CHOU CHINOIS AU GENIEVRE

Préparation 15 minutes
Cuisson 15 minutes

Pour 4 personnes
- **1 kg de chou chinois**
- **80 g d'oignon**
- **1 branche de thym**
- **1 feuille de laurier**
- **1 c. à soupe de baies de genièvre**
- **2 c. à soupe d'huile de tournesol**
- **sel**

• Eplucher et émincer finement les oignons.

• Nettoyer le chou et l'émincer.

• Dans une casserole, faire suer les oignons dans l'huile avec les baies de genièvre, le thym et le laurier.

• Ajouter le chou chinois, saler et laisser cuire à couvert 15 minutes. Servir aussitôt.

CHOUCROUTE A L'ETOUFFEE

Préparation 20 minutes
Cuisson 1 heure 10

Pour 4 personnes
- **400 g de choucroute**
- **80 g de carotte**
- **80 g d'oignon**
- **40 g de céleri**
- **1 feuille de laurier**
- **1 pincée de thym**
- **1 pincée de sarriette**
- **1 pincée d'origan**
- **2 clous de girofle**
- **4 baies de genièvre**
- **1 c. à soupe de persil haché**
- **1 c. à soupe de ciboulette ciselée**
- **25 cl de vin blanc sec**
- **1 c.à soupe d'huile de tournesol**

• Eplucher, laver la carotte et le céleri. Les tailler en petits dés.
• Eplucher et hacher l'oignon.
• Dans un faitout, faire chauffer l'huile de tournesol, ajouter les oignons, la carotte et le céleri, les faire suer 4 à 5 minutes.
• Ajouter le thym, le laurier, la sarriette, l'origan, les clous de girofle, les baies de genièvre et la choucroute. Bien mélanger le tout puis mouiller avec le vin blanc. Saler et laisser cuire à couvert pendant 1 heure sur feu doux en remuant de temps en temps.
• Au moment de servir, décorer de persil et de ciboulette. Servir tel quel ou avec des pommes de terre nouvelles cuites en robe des champs.

COURGETTES FARCIES AUX HERBES DE PROVENCE

Préparation 20 minutes
Cuisson 40 minutes

Pour 4 personnes
- **4 belles courgettes**
- **150 g de pain au levain**
- **2 œufs entiers**
- **1/2 l. de lait**
- **1 c. à soupe d'herbes de Provence hachées**
- **1 c. à soupe de persil haché**
- **1 c. à soupe de basilic haché**
- **1 c. à café de thym haché**
- **1 c. à café d'ail haché**
- **1 pincée de muscade**
- **50 g de parmesan râpé**
- **sel**

- Faire tremper le pain dans le lait tiède.
- Peler l'ail. Laver les courgettes et les couper en morceaux de 4 centimètre. Retirer la chair délicatement à l'aide d'une petite cuillère afin d'ouvrir une belle cavité. Réserver la chair.
- Dans une casserole d'eau bouillante salée, faire blanchir les courgettes pendant 5 minutes, les retirer, les passer sous l'eau froide et les égoutter. Les déposer dans un plat à gratin graissé à l'huile d'olive. Les poudrer de sel et de thym.
- Préchauffer le four th. 5/6 (170°).
- Préparer la farce et hacher finement la chair des courgettes, ajouter la mie de pain pressée, les herbes de Provence, le persil, l'ail, la muscade, le basilic, les œufs, saler. Bien mélanger le tout.
- Garnir l'intérieur des courgettes de cette préparation, poudrer de fromage râpé et glisser le plat au four pour 35 minutes.
- Au moment de servir, sortir le plat du four, décorer de brindilles fraîches de thym, de serpolet, de sarriette et de romarin.

CURRY DE CHAMPIGNONS

Préparation 30 minutes
Cuisson 40 minutes

Pour 4 personnes

- **400 g de champignons**
- **200 g de riz complet**
- **150 g d'oignons**
- **100 g de poireau**
- **60 g de pomme fruit**
- **40 g de banane**
- **100 g de tomates fraîches**
- **1 branche de céleri**
- **1 gousse d'ail**
- **1 bouquet garni**
- **1 bouquet de persil**
- **20 g de raisins secs**
- **20 g d'amandes effilées**
- **40 g de tomate**
- **1 dl de lait**
- **2 c. à soupe d'huile d'arachide**
- **1 c. à soupe d'huile d'olive**
- **1 c. à soupe de maïzena**
- **1 c. à café de curry**
- **1/2 c. à café de gingembre en poudre**
- **2 gouttes de Tabasco**
- **sel**
- **poivre**

• Eplucher et hacher 50 g d'oignon, les faire suer dans une casserole avec l'huile d'olive et le bouquet garni.
• Verser le riz en pluie et mouiller d'eau (deux fois le volume de riz). Ajouter le tabasco et le sel. Porter à ébullition 5 minutes, couvrir et laisser cuire sur feu doux jusqu'à ce que le riz soit cuit.
• Nettoyer et laver les champignons. Peler et couper en morceaux d'1 centimètre de côté, le reste d'oignons, les poireaux, le céleri, les pommes et les bananes. Monder, peler, épépiner et concasser les tomates. Peler et hacher l'ail.
• Dans une casserole, amener le lait à ébullition. Délayer la maïzena avec un peu d'eau froide, verser dans le lait en remuant au fouet, laisser cuire à petit feu 10 minutes.
• Dans une grande casserole, faire chauffer 1 cuillère à soupe d'huile d'arachide, y faire suer les oignons, les poireaux, le céleri, ail et le bouquet garni, laisser cuire 10 minutes, ajouter les pommes et les bananes, laisser cuire encore 5 minutes puis incorporer 100 g de tomates et les épices.
• Dans une poêle, faire chauffer 1 c. à soupe d'huile d'arachide, y faire revenir les champignons entiers s'ils sont petits ou coupés s'ils sont trop gros, les égoutter et les ajouter à la garniture. Verser la sauce, mélanger bien le tout et porter à petite ébullition pendant 10 minutes, goûter et rectifier l'assaisonnement si nécessaire.
• Dresser les champignons sur les assiettes de service, mouler le riz dans des ramequins, le démouler sur les champignons, décorer de persil haché, de raisins, d'amandes et du restant de tomates. Servir aussitôt.

DAUBE DE CAROTTES AVIGNONNAISE

Préparation 20 minutes
Cuisson 1 heure

Pour 4 personnes

- 800 g de petites carottes nouvelles
- 250 g d'oignons
- 6 gousses d'ail
- 1 poignée d'olives noires de Nyons
- 1 zeste d'orange
- 1 bouquet garni
- 1 pincée de thym haché
- 1 c. à café de 4 épices
- 1 c. à soupe de persil haché
- 5 dl de vin rouge
- 3 c. à soupe d'huile d'olive
- 25 cl d'eau
- sel

• Eplucher et hacher l'ail. Peler et tailler en petits dés les oignons.

• Couper les extrémités des carottes, les brosser et les laver.

• Dans une cocotte, faire colorer les oignons dans l'huile d'olive 5 minutes. Ajouter l'ail, le bouquet garni, le thym, les 4 épices, mélanger et laisser cuire 3 minutes.

• Ajouter les carottes, le zeste d'orange, les olives et le vin rouge. Saler. Laisser cuire sur feu vif 10 minutes, verser l'eau, goûter et rectifier l'assaisonnement si nécessaire. Laisser mijoter 40 minutes sur feu doux.

• Verser la préparation dans un plat creux, décorer de persil haché, servir aussitôt.

ECHALOTES CONFITES AUX HARICOTS VERTS

Préparation 20 minutes
Cuisson 15 minutes

Pour 4 personnes
- **600 g de haricots verts**
- **300 g d'échalotes**
- **80 g de cerneaux de noix**
- **30 g de graisse végétale**
- **1 c. à soupe d'huile de tournesol**
- **4 c.à soupe de miel de thym**
- **1 pincée de thym haché**
- **sel**

• Effiler les haricots, les faire cuire dans de l'eau bouillante salée. Ils doivent rester fermes et bien verts. Les passer sous l'eau froide, les égoutter et les couper en morceaux de 3 centimètres.
• Peler les échalotes.
• Dans une cocotte à fond épais, faire chauffer l'huile de tournesol, y faire revenir sur feu vif les échalotes. Baisser le feu, ajouter le miel et le thym haché. Couvrir et laisser cuire 10 minutes. Découvrir et laisser s'évaporer le liquide de cuisson. Attention, les échalotes doivent rester entières, fondantes et bien luisantes, enrobées de miel.
• Plonger les haricots verts 1 minute dans de l'eau bouillante salée, les égoutter.
• Dans une poêle faire chauffer la graisse végétale, y faire sauter les haricots verts avec les noix 3 à 4 minutes. Saler.
• Dans un plat de service préalablement chauffé, mettre les haricots verts, puis décorer avec les échalotes confites. Servir aussitôt.

ENDIVES EN SURPRISE

Préparation 45 minutes
Cuisson 1 heure

Pour 4 personnes
- **4 endives**
- **250 g de pâte feuilletée**
- **20 g de beurre**
- **le jus d'1/2 citron**
- **1 pincée de sucre**
- **1 jaune d'œuf**
- **sel, poivre**

Béchamel
- **25 g de farine**
- **25 g de beurre**
- **25 cl de lait**
- **1 pincée de muscade**
- **sel, poivre**

Duxelles
- **200 g de champignons hachés**
- **50 g d'échalotes hachées**
- **20 g de beurre**

Sauce
- **200 g de champignons émincés**
- **25 cl de crème fraîche**
- **1 c. à soupe de maïzena**

• Dans une cocotte, mettre les endives préparées, le beurre coupé en noisettes, le sucre, le jus de citron, sel et poivre. Couvrir la cocotte d'un papier huilé et du couvercle. Laisser cuire 30 minutes sur feu doux. Retirer les endives, les presser délicatement pour retirer l'excédent de jus, laisser refroidir.

• Préparer la béchamel : faire bouillir le lait. Dans une casserole à fond épais, faire fondre le beurre, ajouter la farine, mélanger et laisser cuire 5 minutes sans coloration puis verser petit à petit le lait bouillant sans cesser de tourner, ajouter la muscade, saler et poivrer. Laisser cuire 10 minutes sur feu doux.

• Préparer la duxelles : dans une casserole, faire fondre le beurre, y faire suer les échalotes, ajouter les champignons, laisser cuire 5 minutes sur feu doux.

• Mélanger la duxelles et la béchamel pour obtenir la farce.

• Préparer la sauce : dans une casserole, mettre les champignons et la crème. Porter à ébullition. Ajouter la maïzena délayée dans un peu de lait froid. Mélanger et laisser cuire 5 minutes sur feu doux sans cesser de tourner. Saler, poivrer, réserver au chaud.

• Abaisser la pâte feuilletée sur 3 millimètres d'épaisseur. Découper 4 triangles de pâte, les dorer au jaune d'œuf à l'aide d'un pinceau.

• Préchauffer le four th. 6/7 (200°).

• Inciser les endives et retirer le trognon, les garnir d'un peu de farce. Fermer.

• Les déposer sur les triangles, replier la pâte et souder les bords. Dorer le dessus à l'œuf. Les ranger sur une tôle mouillée et les glisser au four pour 20 minutes.

• Sur les assiettes de service, déposer les endives en croûte, les napper d'un peu de sauce, servir aussitôt.

EPEAUTRE AU PARFUM DE SAUGE

Préparation 15 minutes
Cuisson 80 minutes

Pour 4 personnes

- **200 g d'épeautre**
- **100 g de blanc de poireaux**
- **100 g de haricots blancs**
- **50 g d'oignon**
- **1 c. à soupe de sauge hachée**
- **quelques brins de ciboulette**
- **1 bouquet garni**
- **2 c. à soupe d'huile d'olive**
- **1 l. d'eau**

- Ecosser les haricots blancs.
- Peler et hacher les oignons, émincer les blancs de poireaux.
- Dans une casserole, faire chauffer l'huile, y faire suer les oignons, les poireaux, la sauge et le bouquet garni pendant 5 minutes. Mouiller avec 1l 1/2 d'eau, ajouter les haricots blancs frais et verser l'épeautre. Amener à ébullition.
- Laisser cuire à petit feu jusqu'à ce que les haricots blancs et l'épeautre soient cuits. Compter 40 minutes environ.
- Verser la préparation dans un légumier, décorer de ciboulette ciselée, servir aussitôt.

ESCALOPINES DE CHAMPIGNONS A L'ITALIENNE

Préparation 30 minutes
Cuisson 30 minutes

Pour 4 personnes
- **4 très gros champignons de Paris**
- **200 g de spaghetti**
- **30 g de parmesan**
- **30 g de beurre**
- **2 c. à soupe d'huile d'olive**
- **sel, poivre**

Sauce
- **100 g d'oignons**
- **5 g de beurre**
- **4 c. à soupe de vermouth blanc sec**
- **1 zeste d'orange**
- **1 zeste de citron**

Tomates concassées
- **300 g de tomates**
- **50 g d'oignon**
- **1 gousse d'ail**
- **1 bouquet garni**
- **1 c. à soupe d'huile d'olive**
- **1 pincée de sucre**
- **sel, poivre**

Panure
- **100 g de mie de pain ou chapelure**
- **50 g de farine**
- **1 œuf**

Béchamel
- **25 cl de lait**
- **10 g de beurre**
- **10 g de farine**

- Préparer les tomates concassées : peler et hacher les oignons et l'ail. Monder, peler, épépiner et concasser les tomates.
- Dans une casserole faire chauffer l'huile d'olive, y faire revenir les oignons, la gousse d'ail et le bouquet garni. Laisser mijoter 5 minutes. Ajouter les tomates, le sucre, le sel et le poivre, cuire encore 20 minutes.
- Préparer la béchamel : dans une casserole, faire fondre le beurre, ajouter la farine, mélanger, laisser cuire à petit feu 5 minutes sans coloration puis verser le lait petit à petit sans cesser de tourner, amener à ébullition, laisser 10 minutes sur feu doux. Réserver au chaud.
- Préparer la sauce : peler et hacher les oignons. Hacher finement les zestes.
- Dans une casserole, faire fondre le beurre, y faire suer les oignons, ajouter les zestes, puis déglacer au vermouth. Ajouter les tomates concassées et la béchamel, laisser mijoter 20 minutes sur feu très doux. Goûter et rectifier l'assaisonnement si nécessaire. Réserver au bain-marie.
- Faire cuire les spaghetti "al dente" dans de l'eau bouillante salée, les égoutter et ajouter le beurre.
- Laver les champignons, les couper en tranches un peu épaisses, les passer successivement dans l'oeuf battu avec 2 cuillères à soupe d'eau et dans la chapelure. Les faire dorer à la poêle dans l'huile d'olive. Saler et poivrer. Egoutter sur du papier absorbant.
- Sur les assiettes de service, disposer un peu de spaghettis, les escalopines et napper de sauce. Poudrer de parmesan.

FAR DE MILLET AUX CAROTTES

Préparation 20 minutes
Cuisson 35 minutes

Pour 4 personnes
- **300 g de carottes**
- **200 g de millet**
- **3 œufs**
- **5 dl de lait**
- **1 c. à soupe de tamari**
- **1 pincée de muscade**
- **sel, poivre**

• Préchauffer le four th. 6 (180°).
• Peler et râper les carottes (grosse râpe).
• Dans une casserole, porter de l'eau salée à ébullition, verser le millet et laisser cuire 10 minutes. L'égoutter et le mélanger aux carottes râpées.
• Beurrer un moule à gratin, verser la préparation en lissant la surface.
• Dans une jatte, mélanger les œufs, le tamari et le lait. Ajouter la muscade, sel et poivre. Verser ce mélange sur la préparation et glisser le plat au four pour 20 à 25 minutes.
• Servir bien chaud.

FENOUIL FARCI A LA TOMBEE DE LEGUMES

Préparation 30 minutes
Cuisson 1 heure 10

Pour 4 personnes

- **4 fenouils**
- **150 g de poireaux**
- **150 g de carottes**
- **150 g de courgettes**
- **100 g de chou vert**
- **80 g d'oignons**
- **30 g de céleri**
- **3 gousses d'ail**
- **1 c. à soupe de persil haché**
- **2 œufs**
- **100 g de mie de pain**
- **1 c. à café d'huile d'olive**
- **1 c. à café de marjolaine**
- **1/2 dl d'eau**
- **sel, poivre**

• Couper les tiges des fenouils au ras des bulbes et une tranche très fine à la base du bulbe.

• Détacher les côtes, garder les cœurs pour la farce. Retirer les fibres autour des côtes pour les attendrir.

• Porter à ébullition une casserole d'eau salée, y plonger les côtes et laisser cuire 10 à 12 minutes. Les passer sous l'eau froide et les égoutter.

• Préparer la farce : peler, tailler en lanières et émincer les oignons. Peler et hacher l'ail. Dans une casserole, faire chauffer l'huile d'olive, y faire suer les oignons. Ajouter les deux tiers de l'ail, la marjolaine et tous les autres légumes taillés comme les oignons. Saler et laisser cuire à couvert 25 minutes sur feu doux. Remuer de temps en temps.

• Préchauffer le four th. 6 (180°).

• Retirer du feu et ajouter le reste d'ail, le persil, la mie de pain émiettée et les œufs. Bien mélanger le tout. Goûter et rectifier l'assaisonnement si nécessaire.

• Farcir les côtes de fenouil de ce mélange en les reformant. Les ranger dans un plat à gratin. Verser l'eau et glisser au four pour 20 à 25 minutes, en arrosant les côtes de temps en temps. Servir bien chaud.

FLAN DE POIREAUX A LA CREME D'OSEILLE

Préparation 30 minutes
Cuisson 40 minutes

Pour 4 personnes
- **600 g de poireaux**
- **4 œufs**
- **2dl 5 de lait**
- **20 g de graisse végétale**
- **1 pincée de muscade râpée**
- **50 g de poivron rouge**
- **sel, poivre**

Crème d'oseille
- **200 g d'oseille**
- **1 dl de crème fraîche**
- **10 g de farine**
- **10 g de graisse végétale**
- **25 cl d'eau**
- **sel, poivre**

• Préchauffer le four th. 5/6 (160°).

• Eplucher et laver les poireaux, les émincer et les faire fondre dans la graisse végétale. Lorsqu'ils sont bien fondus, les mixer finement. Ajouter les œufs battus, le lait. Bien mélanger le tout. Ajouter la muscade, le sel et le poivre.

• Verser la préparation dans des ramequins individuels beurrés et les faire cuire au four et au bain-marie pendant 30 minutes.

• Préparer la crème d'oseille : émincer grossièrement l'oseille. Dans une casserole, faire fondre la graisse végétale, ajouter la farine, bien mélanger et laisser cuire 5 minutes sans coloration puis ajouter petit à petit l'eau sans cesser de fouetter. Amener à ébullition. Laisser cuire 10 minutes puis ajouter l'oseille et laisser cuire encore 30 à 40 minutes sur feu très doux. Saler et poivrer. Mixer le tout et passer la préparation au chinois grille fine. Ajouter la crème fraîche. Goûter et rectifier l'assaisonnement si nécessaire.

• Détailler la chair du poivron rouge en petits dés.

• Démouler les flans de poireaux sur les assiettes de service, les napper de sauce, décorer de poivron rouge, servir aussitôt.

GALANTINE D'HERBES A LA TOMATE

Préparation 45 minutes
Cuisson 1 heure 15

Pour 4 personnes

Pâte à nouilles
- **150 g de farine**
- **2 œufs**
- **1 c. à soupe d'huile d'olive**
- **25 g de parmesan râpé**
- **1 pincée de sel**

Farce
- **300 g d'épinards**
- **200 g d'oignons**
- **100 g de poireaux**
- **1/2 botte de blettes**
- **1 gousse d'ail**
- **100 g de fromage riccota**
- **1 œuf**
- **1 c. à soupe de cerfeuil haché**
- **1 c. à soupe de ciboulette émincée**
- **1 c. à soupe de persil haché**
- **1 pincée de muscade râpée**
- **1 c. à soupe d'huile d'olive**
- **1 feuille de laurier**
- **1 branche de thym**
- **poivre**

Sauce
- **50 g d'oignon**
- **1 boîte 4/4 de tomates concassées**
- **1 c. à soupe de concentré de tomate**
- **1 c. à soupe d'huile d'olive**
- **1 pincée de sucre**

• Préparer la pâte à nouilles : dans une jatte, mélanger la farine, les œufs, le sel et l'huile. Lorsque la pâte est bien lisse, l'envelopper dans une feuille de papier film.
• Préparer la farce : équeuter les épinards, nettoyer les blettes. Les faire blanchir 1 minute dans de l'eau bouillante salée, les passer sous l'eau froide, les égoutter. Les presser pour retirer l'excédent d'eau et les hacher finement. Peler et hacher les oignons, émincer les poireaux, les faire suer dans l'huile d'olive. Ajouter ensuite les épinards et les blettes. Bien mélanger.
• Ajouter l'ail haché, le persil, le cerfeuil, la ciboulette, la muscade et du poivre. Bien mélanger le tout.
• Couper la riccota en petits dés. Battre l'œuf en omelette.
• Les ajouter à la préparation.
• Abaisser la pâte à nouilles en une fine abaisse sur un linge. Recouvrir de farce, rouler le tout, en s'aidant du linge, ficeler délicatement et faire pocher 30 minutes dans de l'eau frémissante aromatisée de thym et de laurier.
• Préparer la sauce : peler et hacher l'oignon. Dans une casserole, faire chauffer l'huile d'olive, y faire rissoler l'oignon, ajouter les tomates concassées, le concentré de tomate et une pincée de sucre. Saler et poivrer, laisser cuire sur feu doux pendant 20 minutes.
• Préchauffer le four th. 6/7 (200°).
• Egoutter la galantine, retirer délicatement le linge. Couper la galantine en tranches, les ranger dans un plat à gratin. Les napper de tomates concassées et les poudrer de parmesan. Glisser au four pour 15 minutes.
• Servir bien chaud

GALETTES DE CEREALES AU TOFU

Préparation 30 minutes
Cuisson 20 minutes

Pour 4 personnes

- **200 g d'oignons**
- **50 g de flocons d'orge**
- **50 g de flocons d'avoine**
- **80 g de fromage blanc**
- **50 g de tofu**
- **30 g de carotte**
- **30 g de céleri branche**
- **10 g de levure alimentaire maltée**
- **20 g de graisse végétale**
- **1 œuf**
- **1/2 c. à café de miso d'orge**
- **1 gousse d'ail**
- **2 c. à soupe d'huile d'olive**

- Dans une jatte, mélanger à sec les flocons d'orge et d'avoine.
- Peler et hacher les oignons et l'ail.
- Mixer le tofu.
- Peler et couper en dés minuscules la carotte et le céleri, les faire étuver 5 minutes dans une petite casserole avec 10 g de graisse végétale, ils doivent rester "al dente".
- Dans une casserole, faire chauffer le restant de graisse végétale, y faire revenir les oignons et l'ail. Hors du feu, ajouter la levure alimentaire, le fromage blanc, le miso, le tofu et l'œuf. Bien mélanger le tout et incorporer les flocons, les carottes et le céleri. Laisser reposer.
- Confectionner des petites galettes et les faire dorer à la poêle dans l'huile d'olive, servir bien chaud.

LAITUES FARCIES AU MAIS

Préparation 40 minutes
Cuisson 1 heure 10

Pour 4 personnes
- **4 petites laitues**

Farce
- **1 boîte de 250 g de maïs**
- **1 œuf**
- **35 g de farine**
- **25 g de beurre**
- **25 cl de lait**
- **1 pincée de muscade râpée**
- **sel, poivre**

Légumes de braisage
- **100 g de poireaux**
- **100 g d'oignons**
- **100 g de carotte**
- **50 g d'échalotes**
- **1 gousse d'ail**
- **1 petite branche de céleri**
- **10 g de beurre**
- **25 cl d'eau**
- **1 pincée de thym, de serpolet et de sarriette**
- **2 feuilles de laurier**

Sauce
- **60 g d'échalotes**
- **50 g de champignons**
- **150 g de beurre**
- **5 cl de vin blanc**

Décoration
- **1 pincée de paprika**
- **4 branches de persil**
- **4 petites feuilles de céleri**

• Laver et trier les laitues, les faire blanchir 8 minutes dans de l'eau bouillante salée, les passer sous l'eau froide et les égoutter.
• Préparer la farce : dans une casserole, faire fondre le beurre, ajouter la farine, mélanger, laisser cuire 5 minutes sans coloration puis verser le lait petit à petit sans cesser de fouetter. Ajouter la muscade et le sel. Laisser cuire 15 minutes sur feu très doux.
• Egoutter le maïs, le sécher dans un linge et l'ajouter à la sauce. Incorporer l'œuf.
• Ouvrir les laitues , les garnir de 2 bonnes cuillères à soupe de farce.
• Préparer le fond de braisage : éplucher et émincer les poireaux, les oignons, les carottes, les échalotes, le céleri et l'ail.
• Dans un plat à gratin, faire chauffer le beurre, y faire suer les légumes avec les aromates pendant 10 minutes sur feu doux.
• Préchauffer le four th. 6 (180°).
• Ranger les laitues sur le fond de braisage, couvrir d'un papier sulfurisé beurré et mettre au four pour 10 minutes.
• Baisser le thermostat à 6/7 (180°). Verser l'eau sur la plaque de cuisson du four et laisser cuire encore 45 minutes.
• Préparer la sauce : peler et ciseler les échalotes. Nettoyer, laver et émincer les champignons.
• Dans une casserole, faire une réduction avec les échalotes et le vin blanc. Incorporer au fouet le beurre coupé en petits morceaux puis ajouter les champignons, il ne doit pas y avoir d'ébullition.
• Sur les assiettes de service, déposer des légumes du fond de braisage. Poser dessus les laitues et napper de sauce. Poudrer de paprika, décorer de branches de persil et de feuilles de céleri. Servir aussitôt.

LASAGNES A LA RICOTTA

Préparation 1 heure + 2 heures de repos
Cuisson 1 heure

Pour 4 personnes

Pâte à nouilles
- 200 g de farine
- 2 œufs
- 1 c. à soupe d'huile d'olive
- 1 feuille de laurier
- 1 brindille de thym
- 5 g de sel

Farce
- 150 g de ricotta
- 200 g de courgettes
- 100 g de poireau haché
- 100 g d'oignon haché
- 1/2 botte de blettes
- 1 gousse d'ail hachée
- 1 bouquet garni
- 1 œuf dur
- 1 c. à soupe d'huile d'olive
- 1 pincée de muscade
- 1 pincée de 4 épices
- 1 pincée de thym
- sel, poivre

Sauce
- 200 g de poireaux
- 40 g de farine
- 40 g de beurre
- 5 dl de lait

Garniture
- 30 g de gruyère râpé

• Préparer la pâte à nouilles : dans la cuve d'un mixeur, mettre la farine, les œufs, l'huile et le sel.. Mixer 2 minutes. Laisser reposer 2 heures.

• Etaler la pâte sur 1 millimètre d'épaisseur, couper des rectangles de 10 sur 5 centimètres.

• Porter à ébullition une casserole d'eau salée, aromatisée avec thym et laurier. Y plonger les rectangles de pâte, laisser cuire 2 minutes. Les retirer et les plonger dans de l'eau froide.

• Préparer la farce : laver les courgettes.Tailler les légumes en bâtonnets et les émincer. Nettoyer le vert des blettes, les faire blanchir 2 minutes dans de l'eau bouillante salée, les passer sous l'eau froide, les égoutter, les presser pour retirer l'excédent d'eau et les hacher.

• Dans une sauteuse, faire chauffer l'huile d'olive, faire fondre poireaux et oignons pendant 5 minutes. Ajouter l'ail, le bouquet garni, cuire sur feu doux 15 minutes. Mettre les courgettes, les laisser suer 5 minutes et enfin les blettes, cuire encore 10 minutes en remuant souvent.

• Retirer la sauteuse du feu et ajouter la ricotta coupée en petits dés, l'œuf battu en omelette, la muscade, le thym, les 4 épices et du sel.

• Préchauffer le four th. 6 (180°).

• Préparer la sauce : dans une casserole, faire fondre le beurre, ajouter la farine, mélanger, laisser cuire 5 minutes sans coloration puis verser petit à petit le lait sans cesser de tourner. Faire cuire encore 10 minutes sur feu doux. Saler, poivrer.

• Nettoyer, laver et émincer les poireaux, les faire suer au beurre et à couvert 10 minutes. Ajouter la béchamel. Beurrer largement un plat à gratin, le tapisser de rectangles de pâtes égouttés, recouvrir d'une couche de farce, poudrer de gruyère râpé et ainsi de suite jusqu'à épuisement des ingrédients. Terminer par une couche de pâte. Napper le tout de béchamel et poudrer de fromage.

• Enfourner pour 30 minutes. Servir très chaud et bien doré.

MOUSSELINE DE CELERI AUX NOISETTES

Préparation 15 minutes
Cuisson 25 minutes

Pour 4 personnes
- **800 g de céleri-rave**
- **200 g de noisettes mondées**
- **50 g d'oignon**
- **1 feuille de sauge**
- **1 feuille de laurier**
- **1 pincée de thym**
- **2 l. de lait**
- **sel, poivre**

- Eplucher le céleri, le couper en petits dés. Peler et émincer l'oignon.
- Les faire cuire à petit feu dans le lait avec la sauge, le thym, le laurier et l'oignon.
- Lorsque le céleri est bien tendre, retirer les feuilles de laurier et de sauge. Egoutter le céleri et le mixer très finement.Si c'est trop épais ajouter un peu de lait de la cuisson.
- Faire griller les noisettes au four pendant 5 minutes. Les concasser. les ajouter à la purée de céleri.
- Servir bien chaud avec des tranches de champignons panées et sautées ou des châtaignes au naturel.

ORGE MIJOTE AUX PETITS LEGUMES

Préparation 20 minutes
Cuisson 1 heure

Pour 4 personnes

- **150 g d'orge**
- **100 g de chou vert**
- **100 g de haricots verts**
- **4 petites carottes**
- **1 courgette**
- **1 côte de céleri**
- **4 petits oignons**
- **4 blancs de petits poireaux**
- **4 échalotes**
- **2 gousses d'ail**
- **2 clous de girofle**
- **1 c. à café de sarriette fraîche**
- **10 g de miso**
- **2 l. d'eau**
- **10 g de sel**

• Eplucher tous les légumes. Couper les haricots verts en trois, les courgettes et le céleri en quatre.
• Dans une grande casserole, mettre l'orge, mouiller avec l'eau, ajouter le sel, les légumes, les clous de girofle, l'ail et le miso. Faire cuire 1 heure sur feu doux en remuant de temps en temps.
• Hacher finement la sarriette.
• Verser la préparation dans un plat de service, poudrer de sarriette et servir aussitôt.

PAELLA DE LEGUMES

Préparation 30 minutes
Cuisson 35 minutes

Pour 4 personnes

- 200 g de riz
- 2 fonds artichauts
- 200 g de tomate
- 160 g d'oignons grelots
- 150 g de carottes
- 150 g de courgettes
- 100 g de champignons
- 80 g de poivron
- 80 g de fenouil
- 50 g de haricots verts
- 50 g de petits pois
- 40 g de céleri
- 2 feuilles de laurier
- 1 pincée de thym
- quelques feuilles de basilic
- 1 c. à soupe d'huile d'olive
- 3 g de safran
- sel

• Nettoyer tous les légumes. Effiler les haricots verts, les couper en tronçons de 2 centimètres. Tailler en cubes de la grosseur des petits oignons, les carottes, les courgettes, le poivron, le fenouil, le céleri, les champignons, les fonds d'artichauts et les tomates mondées et épépinées.

• Dans une sauteuse, faire chauffer l'huile d'olive, faire revenir les oignons grelots pendant 5 minutes. Ajouter tous les légumes sauf les tomates, faire cuire à couvert 5 minutes en remuant de temps en temps.

• Ajouter le riz, le thym, le laurier, le safran, les tomates et du sel. Mouiller avec de l'eau (2 fois le volume de riz) et laisser cuire à couvert et à petite ébullition pendant 25 minutes. Goûter et rectifier l'assaisonnement si nécessaire.

• Lorsque le riz est cuit, l'égrainer délicatement à l'aide d'une fourchette.

• Déposer la paëlla dans un plat de service, décorer de feuilles de basilic et servir aussitôt.

PIE AUX FLAGEOLETS

Préparation 35 minutes
Cuisson 1 heure 20

Pour 4 personnes
- **250 g de pâte feuilletée**
- **200 g d'oignons**
- **100 g de potiron bien rouge**
- **100 g de champignons de Paris**
- **40 g d'olives noires**
- **1 feuilles de laurier**
- **1 pincée de thym**
- **1 pincée de sarriette**
- **1 c. à soupe d'huile d'olive**
- **1 jaune d'œuf**

Cuisson des flageolets
- **200 g de flageolets secs**
- **100 g de poireau**
- **50 g d'oignons**
- **50 g de carottes**
- **1 gousse d'ail**
- **1 bouquet garni**
- **1 branche de sauge**
- **sel, poivre**

- La veille, mettre les flageolets à tremper dans de l'eau froide.
- Peler et émincer les oignons, les carottes et les poireaux. Peler l'ail.
- Dans une casserole, mettre les flageolets, les recouvrir largement d'eau froide, ajouter les oignons, les carottes, le poireau, l'ail, le bouquet garni et la sauge. Porter à ébullition et laisser cuire 1 heure sur feu doux.
- Peler et tailler en petits dés les oignons et le potiron. Nettoyer les champignons, les couper également en dés.
- Dans une cocotte, faire chauffer l'huile d'olive, ajouter les oignons, couvrir et laisser cuire 5 minutes, ajouter le potiron, faire cuire 5 minutes à couvert en remuant de temps en temps. Ajouter les champignons, cuire 3 minutes, puis les olives, les aromates et les flageolets égouttés. Verser la préparation dans un plat creux et laisser refroidir.
- Abaisser la pâte feuilletée sur 3 millimètres d'épaisseur. Recouvrir le plat de pâte, bien la souder sur le pourtour. Réserver 15 minutes au réfrigérateur.
- Préchauffer le four th. 6/7 (200°).
- Dorer la pâte au jaune d'œuf à l'aide d'un pinceau. Glisser le plat au four pour 20 minutes.
- Servir bien chaud.

RIZOTTO AU SAFRAN

Préparation 10 minutes
Cuisson 20 minutes

Pour 4 personnes

- **250 g de riz rond (piémontais)**
- **50 g d'oignon**
- **50 g de pignons**
- **1 bouquet garni**
- **1/2 gousse d'ail**
- **1/2 côte de céleri**
- **quelques branches de cerfeuil**
- **50 g de parmesan**
- **50 g de crème fraîche**
- **20 g de beurre végétal**
- **5 g de safran**
- **sel, poivre**

• Peler et hacher l'ail et les oignons. Couper le céleri en petits dés.
• Dans une casserole, faire fondre le beurre, y faire suer les oignons, l'ail, le bouquet garni, le céleri et le safran pendant 5 minutes. Ajouter le riz et mouiller petit à petit avec de l'eau (2 fois le volume de riz) en maintenant à vive ébullition.
• Faire griller les pignons au four.
• Dès que le riz est cuit, retirer du feu et ajouter le parmesan, la crème fraîche. Saler et poivrer.
• Déposer la préparation dans un plat de service, décorer de pignons et de branches de cerfeuil. Servir aussitôt.

TIAN AUX HERBES ET AUX CEREALES A LA VAPEUR DE SAUGE

Préparation 30 minutes
Cuisson 1 heure

Pour 4 personnes
- **300 g de courgettes**
- **300 g d'épinards**
- **300 g de tomates**
- **200 g d'oignons**
- **200 g de poireaux**
- **1/2 bottes de vert de blettes**
- **1 c. à soupe de persil haché**
- **1 c. à soupe de cerfeuil haché**
- **1 c. à soupe d'huile d'olive**
- **50 g de gruyère râpé**
- **1 œuf + 1 œuf dur**
- **sel, poivre**

Céréales
- **50 g de millet**
- **50 g de sarrasin**
- **50 g d'orge**
- **1 branche de sauge**
- **sel, poivre**

- Eplucher les oignons et les poireaux. Les couper en petits morceaux ainsi que les courgettes.
- Nettoyer les blettes et les épinards. Les faire blanchir 2 minutes dans de l'eau bouillante salée, les passer sous l'eau froide, les égoutter et les presser pour retirer l'excédent d'eau. Les hacher au couteau ainsi que l'œuf dur.
- Peler, épépiner et concasser les tomates.
- Dans une casserole, faire chauffer l'huile d'olive, y faire suer les oignons et les poireaux pendant 5 minutes, ajouter les courgettes, les épinards et les blettes. Laisser mijoter 10 minutes. Ajouter les tomates, l'œuf dur, le cerfeuil et le persil. Saler, poivrer. Bien mélanger le tout. Hors du feu incorporer l'œuf battu en omelette et le fromage.
- Verser la préparation dans un plat creux et ovale huilé, poudrer de gruyère et réserver.
- Préchauffer le four th. 6 (180°).
- Faire infuser la sauge dans le bas d'un couscoussier avec 2 litres d'eau chaude pendant 10 minutes.
- Déposer chaque céréale dans des petites passoires. Les mettre sur la partie supérieure du couscoussier, couvrir et laisser cuire à la vapeur pendant 50 minutes.
- Glisser le plat réservé au four pour 20 minutes.
- Servir aussitôt avec les céréales à part.

TIMBALE DE MACARONI AUX POIS CASSES

Préparation 40 minutes
Cuisson 1 heure

Pour 4 personnes

- **200 g de longs et fins macaroni**
- **150 g de pois cassés**
- **150 g d'oignons**
- **50 g de carotte**
- **50 g de poireau**
- **1 gousse d'ail**
- **1 bouquet garni**
- **2 feuilles de sauge**
- **2 œufs**
- **25 g de farine de pois cassés**
- **5 dl d'eau**
- **sel, poivre**

Concassée de tomates

- **250 g de tomates bien mûres**
- **50 g d'oignon**
- **1 c. à soupe d'huile d'olive**
- **sel, poivre**

- Faire cuire les macaroni dans de l'eau bouillante salée pendant 10 minutes, les passer sous l'eau froide, égoutter.
- En foncer 4 grands ramequins beurrés. Réserver.
- Remplir une casserole d'eau froide, saler et amener à ébullition. Faire blanchir les pois cassés 5 minutes . Les égoutter et réserver.
- Peler les oignons, la carotte et le poireau, les couper en morceaux. Peler l'ail.
- Dans une casserole, mettre les pois cassés, le poireaux, la carotte, les oignons, l'ail, le bouquet garni et la sauge. Mouiller avec 1/2 litre d'eau, saler et poivrer. Faire cuire sur feu moyen pendant 35 minutes.
- Préchauffer le four th. 6 (180°).
- Passer le tout à la moulinette à légumes. Ajouter les œufs battus en omelette et la farine de pois cassés. Bien mélanger, goûter et rectifier l'assaisonnement si nécessaire.
- Répartir la préparation dans les ramequins chemisés de macaroni. Les ranger dans un grand plat à four, verser un peu d'eau dans le plat et glisser au four pour 30 minutes.
- Pendant ce temps, préparer la concassée de tomates.
- Au moment de servir, démouler les ramequins dans les assiettes de service, les napper de concassée de tomates.

TOPINAMBOURS AU GRATIN

Préparation 15 minutes
Cuisson 50 minutes

Pour 4 personnes

- **400 g de topinambours**
- **1 citron**
- **1 filet d'huile d'arachide**
- **40 g de beurre**
- **40 g de farine**
- **5 dl de lait**
- **2 c. à café de curry**
- **25 cl de crème fraîche**
- **80 g d'amandes effilées**
- **sel, poivre**

• Eplucher les topinambours, les émincer et les faire cuire dans de l'eau bouillante salée et citronnée, avec 1 filet d'huile pendant quelques minutes. Ils doivent être très "al dente", les égoutter aussitôt.

• Dans une casserole, faire fondre le beurre, ajouter la farine, bien mélanger, cuire 5 minutes sans coloration puis ajouter petit à petit le lait bouillant sans cesser de tourner. Ajouter le curry et laisser cuire 20 minutes sur feu doux.

• Ajouter la crème fraîche et passer le tout au chinois grille fine.

• Faire griller les amandes effilées dans une poêle chaude sans matière grasse.

• Mélanger les topinambours à la sauce et laisser cuire 10 minutes sur feu très doux. Saler, poivrer.

• Verser la préparation dans un plat de service, décorer d'amandes, servir aussitôt.

les Desserts

ANANAS CONDE

Préparation 15 minutes
Cuisson 30 minutes

Pour 4 personnes
- **1 ananas de 600 g**
- **100 g de riz**
- **5 dl de lait**
- **1/2 gousse de vanille**
- **40 g de miel d'acacia**
- **2 jaunes d'œufs**
- **1 pincée de sel fin**

• Eplucher l'ananas, le couper en quartiers dans le sens de la hauteur. Retirer la partie centrale dure et filandreuse, puis le faire pocher dans 1/2 litre d'eau bouillante pendant 10 minutes.

• Remplir d'eau froide une casserole, amener à ébullition, y faire blanchir le riz dans de l'eau bouillante, le rincer et l'égoutter.

• Dans une casserole, mettre le riz, la vanille et le sel, mouiller avec le lait et faire cuire à couvert à petite ébullition pendant 20 minutes en remuant de temps en temps.

• Au bout de ce temps, ajouter le miel et les jaunes d'œufs. Bien mélanger et laisser refroidir.

• Faire réduire le jus de cuisson des ananas jusqu'à obtenir un sirop.

• Dresser le riz sur un plat de service, disposer les morceaux d'ananas sur le riz et passer le tout quelques minutes au four th. 6 (180°).

• Napper les morceaux d'ananas et le riz de sirop et servir aussitôt.

BEIGNETS DE FLEURS D'ACACIA

Préparation 10 minutes
Cuisson 15 minutes

Pour 4 personnes
- **8 grappes de fleurs d'acacia**
- **125 g de farine**
- **1 jaune d'œuf + 2 blancs**
- **4 c. à soupe de miel d'acacia**
- **1 c. à soupe d'huile d'arachide**
- **1 bain de friture**
- **1 pincée de sel**

- Dans une jatte, mettre la farine, le jaune d'œuf, l'huile et le sel.
- Avec une cuillère en bois, bien mélanger le tout et ajouter petit à petit 1dl 1/2 d'eau sans cesser de tourner afin d'obtenir une pâte à crêpes un peu plus épaisse.
- Monter les blancs en neige très ferme.
- Les incorporer à la préparation.
- Faire chauffer le bain de friture.
- Dès que l'huile est chaude, tremper les grappes de fleurs d'acacia dans la pâte et les faire frire. Les égoutter sur du papier absorbant dès qu'elles sont bien dorées.
- Les arroser de miel et servir aussitôt.

BEIGNETS SOUFFLES AU CITRON

Préparation 40 minutes
Cuisson 30 minutes

Pour 4 personnes

Pâte à choux
- **150 g de farine**
- **100 g de beurre**
- **5 œufs**
- **1 pincée de sucre**
- **1 pincée de sel**
- **25 cl d'eau**
- **1 bain de friture**

Crème pâtissière au citron
- **35 g de farine**
- **40 g de sucre**
- **3 dl de lait**
- **les zestes de 2 citrons**
- **1 œuf + 2 jaunes**

Décoration
- **sucre glace**

• Préparer la pâte à choux : dans une casserole, faire bouillir l'eau et le beurre coupé en petits morceaux, avec le sel et le sucre. Ajouter en une seule fois la farine tamisée. Remuer énergiquement à l'aide d'une spatule, lorsque la pâte se détache de la casserole, retirer du feu et incorporer les œufs un à un.
• Faire chauffer le bain de friture.
• A l'aide d'une cuillère à soupe, former des boules de pâte et les faire frire dans l'huile chaude. Dès que les choux sont bien dorés, les retirer à l'aide d'une écumoire et les déposer sur du papier absorbant.
• Préparer la crème pâtissière : faire infuser les zestes de citron dans le lait chaud.
• Dans une jatte, mélanger, l'œuf, les jaunes d'œufs et le sucre, ajouter la farine. Puis verser petit à petit le lait.
• Verser la préparation dans une casserole et porter à ébullition.
• Préchauffer le four th. 6/7 (200°).
• A l'aide d'une poche à douille unie, garnir les choux de crème pâtissière au citron. Les déposer sur une plaque à pâtisserie et les glisser au four pour 5 minutes.
• Saupoudrer de sucre glace et servir aussitôt.

BLANC-MANGER A LA BANANE

Préparation 30 minutes
Cuisson 10 minutes

Pour 4 personnes

- **100 g de fraises**
- **2 tranches d'ananas**
- **1 banane mûre**
- **125 g d'amandes mondées**
- **30 g de sucre vanillé**
- **5 dl de lait**
- **25 cl de crème fraîche**
- **1 bâton d'agar-agar**
- **12 cl d'eau**

- Mettre à tremper l'agar-agar 15 minutes dans de l'eau froide.
- Dans la cuve d'un mixeur, mettre les amandes, le sucre vanillé, la banane et l'eau. Bien mixer le tout.
- Verser ce mélange dans le lait. Faire chauffer sans porter à ébullition. Ajouter l'agar-agar ramolli et passer le tout au chinois grille fine à l'aide d'une petite louche pour bien fouler.
- Laisser refroidir.
- Fouetter la crème et l'incorporer à la préparation refroidie.
- Tapisser le fond d'un moule avec les tranches d'ananas et les fraises (les fruits peuvent changer suivant les saisons, pendant l'hiver utiliser des oranges, des pamplemousses et des dattes).
- Verser la préparation dans le moule et faire prendre au réfrigérateur pendant 2 à 3 heures.
- Au moment de servir, démouler et servir tel quel.

BROCHETTES DE FRUITS AU CARAMEL

Préparation 20 minutes
Cuisson 10 minutes

Pour 4 personnes

- **1/2 ananas**
- **2 bananes**
- **2 pommes**
- **2 poires**
- **1 kiwi**
- **1 citron**
- **100 g de sucre**
- **8 feuilles de menthe**
- **4 tranches de citron**

• Eplucher tous les fruits. Tailler en dés de 2 à 3 centimètres de côté, les pommes, les poires, les bananes et l'ananas. Citronner les pommes, les poires et les bananes.
• Les enfiler sur un pique en bois en les alternant. Disposer aux extrémités des tranches de kiwi.
• Préparer le caramel avec le sucre et 5 centilitres d'eau. Dès qu'il est doré, napper les brochettes de caramel.
• Laisser refroidir, décorer de feuilles de menthe et de tranches de citron, servir aussitôt.

CERISES AU CLARET

Préparation 10 minutes
Cuisson 15 minutes

Pour 4 personnes
- **500 g de cerises bien mûres**
- **80 g de gelée de framboises**
- **1 bouteille de vin de Bordeaux**
- **1 pincée de cannelle**
- **1 pincée de muscade**
- **2 clous de girofle**
- **1 zeste de citron**
- **1 zeste d'orange**

• Laver et équeuter les cerises, les faire cuire avec le vin rouge à couvert, la cannelle, la muscade, les clous de girofle, les zestes d'agrumes pendant 15 minutes.

• Retirer les cerises, filtrer le jus de cuisson et faire réduire aux trois quarts à découvert.

• Ajouter la gelée de framboises et verser ce sirop sur les cerises. Servir bien frais.

CHEESE CAKE

Préparation 30 minutes
Cuisson 45 minutes

Pour 4 personnes

Pâte sablée
- **80 g de farine**
- **60 g de beurre**
- **25 g de poudre d'amandes**
- **20 g de sucre**
- **1 jaune d'œuf**
- **2 gouttes d'extrait de vanille**
- **1 pincée de sel**

Appareil à fromage
- **200 g de fromage blanc de campagne bien égoutté**
- **1 œuf + 1 jaune**
- **50 g de sucre**
- **1 c. à soupe de farine**
- **1 c. à soupe de crème fraîche épaisse**
- **1/2 c. à café de zeste d'orange haché**
- **1/2 c. à café de zeste de citron haché**
- **5 gouttes d'extrait de vanille**
- **crème Chantilly**

• Préparer la pâte sablée : préchauffer le four th. 6 (180°). Dans une jatte, mettre en fontaine la farine, ajouter au centre tous les autres ingrédients. Travailler le tout du bout des doigts jusqu'à ce que la pâte soit homogène. Etaler la pâte et en garnir un moule à génoise beurré. Réserver au réfrigérateur 15 minutes, puis faire cuire à blanc pendant 15 minutes.

• Préparer l'appareil à fromage : dans une grande jatte, mélanger les œufs, le sucre, les zestes hachés et la vanille. Puis ajouter la farine. Bien battre le tout pour éviter les grumeaux. Incorporer le fromage blanc et la crème fraîche.

• Verser la préparation sur la pâte cuite et glisser au four pour 30 minutes. Laisser refroidir.

• Au moment de servir, démouler le gâteau et le recouvrir de crème Chantilly.

CORNET DE CREME CHANTILLY

Préparation 20 minutes
Cuisson 10 mn

Pour 4 personnes

Pâte
- **50 g de farine**
- **100 g de sucre**
- **2 œufs**
- **50 g de beurre fondu**

Crème Chantilly
- **25 cl de crème fraîche liquide**
- **25 g de sucre glace**

• Préchauffer le four th. 5-6 (160°). Préparer la pâte dans une jatte, mélanger la farine et le sucre. Ajouter les œufs, bien fouetter le tout puis incorporer le beurre fondu.

• Sur une plaque à pâtisserie beurrée et à l'aide d'une grosse cuillère, répartir la préparation en petits tas bien séparés ; la pâte s'étale seule en formant des crêpes épaisses.

• Dès qu'elles sont dorées, les sortir du four et les rouler encore chaudes, comme un cornet. En refroidissant, la pâte durcit très vite et devient cassante.

• Préparer la Chantilly : dans une jatte bien froide, mettre la crème froide, battre au batteur électrique. Dès que la crème commence à épaissir, ajouter le sucre et la vanille. Continuer à fouetter. La crème doit être bien ferme.

• Garnir les cornets de crème Chantilly. Servir aussitôt.

CREPES A LA POLONAISE

Préparation 40 minutes
Cuisson 10 minutes

Pour 4 personnes

Pâte à crêpes
- **1 dl de lait**
- **50 g de farine**
- **1 œuf**
- **10 g de sucre**
- **1 pincée de sel**

Farce
- **200 g de fromage frais en faisselle**
- **1 œuf**
- **20 g de sucre**
- **30 g de raisins secs de Smyrne**
- **1 c. à café de citron haché**
- **1 pincée de cannelle**

Décoration
- **15 g de sucre glace**

- Préparer les crêpes : dans la cuve d'un mixeur, mettre la farine, le sucre, l'œuf, le sel. Mixer le tout en ajoutant le lait petit à petit et laisser tourner 2 minutes.
- Faire cuire les crêpes à la poêle et au beurre (compter 2 crêpes par personne).
- Préparer la farce : dans une jatte, mélanger le fromage blanc, l'œuf, le zeste de citron, la cannelle et le sucre.
- Faire blanchir les raisins secs 1 minute dans de l'eau bouillante, les passer sous l'eau froide, les égoutter et les ajouter à la préparation.
- Préchauffer le four th. 6 (180°).
- Fourrer les crêpes de fromage blanc, les rouler et les déposer dans un plat à gratin beurré. Saupoudrer de sucre glace et glisser au four pour 10 minutes.
- Servir bien chaud.

CROQUETTES DE FRUITS

Préparation 30 minutes
Cuisson 20 minutes

Pour 4 personnes
- **2 tranches d'ananas**
- **100 g de pomme verte**
- **50 g de banane**
- **50 g de poire**
- **25 g de fruits confits**
- **1 œuf + 2 jaunes**
- **50 g de farine**
- **2 dl de lait**
- **1 bain de friture**

Panure
- **1 œuf**
- **2 c. à soupe d'eau**
- **100 g de farine**
- **150 g de mie de pain ou chapelure**

Sauce
- **200 g de fraises**
- **50 g de gelée de groseilles**
- **50 g de sucre**
- **10 g de maïzena**
- **15 cl d'eau**

• Préparer la sauce : laver, équeuter et émincer les fraises. Dans une casserole, mettre la gelée de groseilles, le sucre et l'eau. Porter à ébullition. Ajouter la maïzena diluée dans un peu d'eau froide et laisser cuire 5 minutes sans cesser de tourner. Hors du feu, ajouter les fraises émincées. Réserver.
• Eplucher et couper tous les fruits en petits dés.
• Préparer la crème pâtissière : dans une jatte, mélanger les jaunes d'œufs, l'œuf et la farine. Puis ajouter petit à petit le lait chaud. Verser le tout dans une casserole et faire cuire sur feu doux pendant 5 minutes sans cesser de fouetter. Laisser refroidir.
• Incorporer les fruits dans la crème froide, former des boules de fruits à l'aide d'une cuillère et les paner en les roulant successivement dans la farine, dans l'œuf battu avec l'eau et dans la chapelure. Réserver.
• Faire chauffer le bain de friture, y plonger les boulettes de fruits. Les retirer dès qu'elles ont bien dorées et les déposer sur du papier absorbant.
• Servir aussitôt avec la sauce.

DELICE DU MONTAGNARD

Préparation 10 minutes
Pas de cuisson

Pour 4 personnes
- **350 g de fromage blanc frais égoutté**
- **100 g de confiture de myrtilles**
- **250 g de myrtilles fraîches**
- **25 cl de crème fleurette**

- Laver et égrapper les myrtilles.
- Répartir le fromage blanc dans 4 coupelles.
- Déposer dans chacune d'elles 25 g de confiture. Arroser le tout de crème fleurette et décorer de myrtilles fraîches.
- Servir bien frais.

FRAISES A LA CREOLE

Préparation 30 minutes
Pas de cuisson

Pour 4 personnes
- **300 g de fraises**
- **1 petit ananas**
- **50 g de sucre**
- **1 verre à liqueur de Kummel (liqueur à base de cumin)**

- Laver et équeuter les fraises, les sucrer et les arroser de Kummel.
- Couper le haut de l'ananas. Retirer la chair à l'aide d'un couteau bien aiguisé, sans déchirer l'écorce. Retirer la partie dure du centre de l'ananas et couper la chair en dés. Les ajouter aux fraises. Mettre au frais.
- Au moment de servir garnir l'écorce de l'ananas de la préparation et la déposer sur un lit de glace pilée.

GATEAU MALTAIS

Préparation 20 minutes
Cuisson 25 minutes

Pour 4 personnes
- **80 g de farine**
- **80 g de beurre fondu**
- **80 g de poudre d'amandes**
- **80 g de sucre**
- **4 œufs**
- **les zestes hachés de 2 mandarines**
- **2 c. à soupe d'eau**

- Préchauffer le four th. 5/6 (160°).
- Dans une jatte, mettre la poudre d'amandes, le sucre, les jaunes d'œufs (réserver les blancs), les zestes des mandarines et l'eau. Bien fouetter le tout pendant 6 minutes.
- Monter les blancs d'œufs en neige très ferme. Les ajouter à la préparation petit à petit en soulevant la masse.
- Incorporer de la même manière la farine tamisée et le beurre.
- Verser la préparation dans un moule à manqué beurré et fariné et glisser au four pour 20 à 25 minutes.
- Démouler et décorer le gâteau de tranches de mandarines pelées à vif.

GATEAU AUX NOIX

Préparation 30 minutes
Cuisson 25 minutes

Pour 4 personnes

Pâte
- **125 g de farine**
- **50 g de sucre semoule vanillé**
- **65 g de graisse végétale**
- **1 jaune d'œuf**
- **1 pincée de sel**

Crème
- **200 g de sucre**
- **150 g de cerneaux de noix**
- **25 cl de lait**
- **1 filet de jus de citron**

• Préchauffer le four th. 5/6 (160°) Préparer la pâte dans une jatte, mettre la farine en fontaine, ajouter au centre la graisse végétale, le jaune d'œuf, le sucre et le sel. Bien pétrir le tout. Lorsque la pâte est bien homogène, l'étaler dans un moule à tarte et faire cuire à blanc pendant 20 à 25 minutes.

• Préparer la crème : dans une casserole, mettre le sucre et le jus de citron. Mettre sur feu doux et remuer avec une spatule. Dès que le mélange est fondu, et devient blond doré, ajouter les cerneaux de noix et verser le lait petit à petit. Amener à ébullition et laisser cuire 2 minutes. Laisser tiédir.

• Verser la préparation sur la pâte cuite à blanc et laisser refroidir avant de servir.

GATEAU DE SEMOULE AU CARAMEL

Préparation 20 minutes
Cuisson 50 minutes

Pour 4 personnes

Pâte
- **60 g de semoule de blé**
- **25 g de sucre en poudre**
- **2 oeufs**
- **5 dl de lait**
- **8 pruneaux**
- **1 petit zeste de citron haché**

Caramel
- **100 g de sucre**
- **25 cl d'eau**

- Préchauffer le four th. 6 (180°).
- Préparer la pâte : faire bouillir le lait avec le zeste de citron et les pruneaux dénoyautés et coupés en quatre.
- Ajouter la semoule de blé en pluie en remuant constamment. Porter à ébullition. Ajouter le sucre et laisser cuire 2 à 3 minutes.
- Retirer du feu, incorporer les œufs battus en omelette.
- Préparer le caramel : dans une casserole, mettre le sucre et l'eau, dès que mélange est marron clair, le retirer du feu et verser aussitôt dans un moule à soufflé. Bien répartir le caramel sur tout le fond du plat.
- Verser la pâte et faire cuire au four et au bain-marie pendant 40 minutes.
- Laisser refroidir et démouler sur un plat rond.

GENOISE VICTORIA

Préparation 30 minutes
Cuisson 30 minutes

Pour 4 personnes

Génoise
- **125 g de farine**
- **4 œufs**
- **80 g de miel**

Garniture
- **300 g de fraises**
- **25 cl de crème fleurette**
- **1 zeste de citron finement haché**
- **1 c. à café d'eau de fleurs d'oranger**
- **1/2 dl d'eau**

• Préchauffer le four th. 5 (150°) Préparer la génoise dans un saladier au bain-marie fouetter les œufs et le miel. Lorsque le mélange épaissit et devient mousseux, retirer du feu et continuer à fouetter jusqu'à complet refroidissement. Incorporer la farine tamisée à l'aide d'une spatule.

• Verser la préparation dans un moule à génoise beurré et fariné. Glisser au four pour 30 minutes. Laisser refroidir.

• Préparer la garniture : laver et équeuter les fraises, les émincer et les poudrer de zeste de citron finement haché.

• Fouetter la crème fleurette jusqu'à ce qu'elle devienne épaisse. Ajouter délicatement les fraises.

• Couper la partie supérieure de la génoise, la creuser et l'imbiber avec l'eau et la fleur d'oranger. La garnir de la préparation aux fraises, remettre le couvercle.

• Servir très frais.

MIRLITONS A LA FLEUR D'ORANGER

Préparation 30 minutes
Cuisson 55 minutes

Pour 4 personnes

Pâte sablée
- **125 g de farine**
- **60 g de beurre**
- **20 g de sucre**
- **1 œuf**
- **1 pincée de sel**

Crème
- **80 g de poudre d'amandes**
- **80 g de sucre roux en poudre**
- **2 œufs**
- **8 c. à soupe de crème fraîche**
- **2 c. à soupe d'eau de fleurs d'oranger**

- Préchauffer le four th. 5/6 (160°).
- Préparer la pâte sablée : dans une jatte, mettre la farine et le beurre ramolli, bien travailler, ajouter le sel, le sucre, l'œuf et rendre le mélange homogène. Etaler la pâte dans un moule à tarte et faire cuire à blanc pendant 15 minutes.
- Préparer la crème : dans une jatte mélanger la poudre d'amandes, le sucre, les œufs et la fleur d'oranger. Puis ajouter en fouettant la crème fraîche.
- Garnir la pâte sablée de cette préparation et remettre au four pour 30 minutes. Servir tiède ou froid.

MOUSSE DE BANANE

Préparation 30 minutes
Cuisson 25 minutes

Pour 4 personnes
- **300 g de bananes mûres**
- **150 g de chocolat**
- **70 g de sucre**
- **25 cl de crème fraîche**
- **1 citron**
- **2 c. à soupe d'eau**

Tuiles
- **50 g de sucre**
- **50 g d'amandes effilées**
- **20 g de farine**
- **1 œuf**
- **3 gouttes d'extrait de vanille**

- Dans la cuve d'un mixeur mettre les bananes et le jus de citron. Bien mixer le tout.
- Dans une casserole, mettre le sucre et l'eau, amener à ébullition et laisser cuire 3 minutes. Verser le sirop sur les bananes et mixer à nouveau jusqu'à complet refroidissement.
- Battre au fouet électrique la crème en Chantilly, l'incorporer à la mousse de bananes.
- Répartir la mousse dans des ramequins et réserver au réfrigérateur.
- Préchauffer le four th. 6 (180°).
- Préparer les tuiles : dans une jatte, mettre dans l'ordre, les amandes, le sucre et l'œuf puis ajouter la farine et la vanille. Bien mélanger. Disposer des petits tas de pâte sur une plaque à pâtisserie huilée, les aplatir à la fourchette et glisser la plaque au four pour 20 à 25 minutes.
- Décoller les tuiles de la plaque et leur donner une forme arrondie en les déposant sur un rouleau à pâtisserie. Laisser refroidir.
- Faire fondre le chocolat au bain-marie.
- Verser une cuillère à soupe de chocolat sur chaque coupe.

NOISETINE

Préparation 30 minutes
Cuisson 25 minutes

Pour 4 personnes
- **125 g de farine**
- **100 g de miel**
- **70 g de noisettes**
- **4 œufs**
- **20 g de sucre en poudre**

- Beurrer et fariner un moule à génoise.
- Préchauffer le four th. 5 (150°).
- Dans une jatte, mettre les œufs et le miel, poser la jatte dans un bain-marie , fouetter le mélange jusqu'à ce qu'il devienne mousseux, chaud et épais. Retirer du feu et continuer de fouetter jusqu'à complet refroidissement.
- Incorporer délicatement la farine tamisée à l'aide d'une spatule.
- Faire griller les noisettes au four pendant 5 minutes. Les concasser, en mélanger 50 g à la pâte. Verser le tout dans le moule et glisser au four pour 25 minutes.
- A mi-cuisson, saupoudrer le dessus du gâteau avec le sucre et le reste de noisettes.
- Servir tiède ou froid.

PANACHE DE GELEE DE FRUITS

Préparation 40 minutes
Cuisson 15 minutes

Pour 4 personnes

- **80 g de gelée de groseilles**
- **1/2 boîte de pêches au sirop**
- **1/2 ananas**
- **50 g de framboises surgelées**
- **2 poires**
- **1 citron**
- **25 cl de crème fleurette**
- **25 g de paillettes de chocolat**
- **2 c. à soupe de sirop de menthe**
- **8 feuilles de menthe**
- **4 g d'agar-agar en poudre**
- **1 l. d'eau**

- Diluer l'agar-agar dans de l'eau. Porter à ébullition. Répartir la préparation dans 3 casseroles.
- Eplucher l'ananas, l'émincer finement, le mélanger aux framboises et les répartir dans 4 ramequins. Verser le contenu d'une des casseroles sur les ananas. Réserver.
- Eplucher, émincer et citronner les poires, les mettre dans la seconde casserole avec la gelée de groseilles, porter à ébullition. Dès que les poires sont cuites, répartir cette préparation dans 4 autres ramequins. Réserver.
- Emincer les pêches, les mettre dans la troisième casserole avec le sirop de menthe, porter à ébullition et répartir la préparation dans 4 autres ramequins. Réserver.
- Mettre les 12 ramequins au réfrigérateur pour au moins 2 heures.
- Battre la crème fleurette en Chantilly.
- Au moment de servir, démouler les gelées (un ramequin de chaque sorte par convive).
- Décorer de Chantilly, de paillettes et de feuilles de menthe.

PARFAIT A LA MANGUE

Préparation 20 minutes
Cuisson 15 minutes

Pour 4 personnes
- **200 g de mangues**
- **3 jaunes dœufs**
- **60 g de sucre**
- **2 dl de crème fouettée**
- **2 c. à soupe d'eau**

• Mixer la pulpe de mangues. Dans une jatte posée dans un bain-marie, mettre les jaunes d'œufs, le sucre, 100 g de pulpe de mangues et l'eau. Fouetter jusqu'à ce que le mélange fasse ruban. Retirer du feu et continuer à fouetter jusqu'à complet refroidissement.
• Incorporer délicatement à l'aide d'une spatule en bois la crème fouettée et le reste de pulpe.
• Verser la préparation dans des ramequins et mettre au congélateur au moins 2 heures.
• Servir bien frais.

SOUFFLE CHAUD DE FRUITS SECS SAUCE CHOCOLAT

Préparation 30 minutes
Cuisson 40 minutes

Pour 4 personnes
- **50 g de beurre**
- **50 g de farine**
- **50 g de sucre**
- **30 g de pignons**
- **30 g d'amandes**
- **30 g de noix**
- **30 g de noisettes**
- **20 g de pistaches**
- **4 jaunes d'œufs + 7 blancs**
- **4 gouttes d'extrait de vanille**
- **4 dl de lait**

Sauce au chocolat
- **150 g de chocolat de couverture**
- **50 g de cacao en poudre**
- **25 cl d'eau**

- Dans une casserole mettre le lait, le sucre, l'extrait de vanille, porter à ébullition.
- Dans une casserole, faire fondre le beurre, ajouter la farine, bien mélanger, cuire 5 minutes sans coloration puis verser petit à petit le lait chaud sans cesser de fouetter. Laisser cuire pendant 10 minutes.
- Retirer du feu et incorporer les jaunes d'œufs. Bien mélanger et réserver au tiède en recouvrant la casserole d'un papier beurré pour éviter la formation d'une peau.
- Préchauffer le four th. 6 (180°).
- Faire griller les pignons, les noix, les amandes, les pistaches et les noisettes au four quelques minutes. Les concasser.
- Battre les blancs d'œufs en neige très ferme.
- Incorporer à la préparation de base, les fruits secs puis les blancs d'œufs à l'aide d'une spatule en soulevant la masse.
- Verser la préparation dans un moule à soufflé beurré et fariné. Glisser au four pour 25 minutes.
- Préparer la sauce au chocolat : faire fondre le chocolat au bain-marie avec le cacao et l'eau.
- Servir le soufflé dès la sortie du four avec la sauce.

SUCCULENTE

Préparation 30 minutes
Cuisson 30 minutes

Pour 4 personnes

Pâte à crêpes
- **125 g de farine**
- **1 œuf**
- **25 cl de lait**
- **1 c. à soupe d'huile**
- **1 pincée de sel**

Appareil
- **50 g de sucre vanillé**
- **50 g de crème de riz**
- **2 jaunes d'œufs**
- **25 cl de lait**
- **80 g de graisse végétale**
- **80 g de noisettes torréfiées**
- **120 g d'abricots au sirop**

Nougatine
- **50 g d'amandes**
- **30 g de sucre**

• Préparer la pâte à crêpes : dans la cuve d'un mixeur, mettre la farine, le sel, l'huile, l'œuf. Mixer en versant le lait et laisser tourner 2 minutes. Faire cuire les crêpes à la poêle et au beurre.
• Préparer la crème : dans une casserole, mélanger le sucre vanillé, la crème de riz, les jaunes d'œufs, puis verser le lait tiède en remuant constamment avec un fouet. Porter à ébullition. Hors du feu, ajouter la graisse végétale coupée en petits morceaux et les noisettes écrasées.
• Préchauffer le four th. 6 (180°).
• Mixer les abricots.
• Farcir les crêpes de crème, les rouler et les déposer dans un plat à gratin sur les abricots mixés. Glisser au four pour 15 minutes.
• Préparer la nougatine : dans une casserole, mettre le sucre, le faire fondre en remuant constamment avec une spatule, puis ajouter les amandes et laisser colorer brun clair. Verser sur une plaque huilée et laisser refroidir. Concasser grossièrement la nougatine.
• Servir les crêpes bien chaudes avec la nougatine.

SULTANE DE PECHE POCHEE

Préparation 30 minutes
Cuisson 1 heure

Pour 4 personnes
- **4 belles pêches**
- **4 pommes**
- **100 g de fraises**
- **100 g de fraises des bois**
- **100 g de sucre**
- **1/2 gousse de vanille**
- **1 zeste de citron**
- **5 dl d'eau**

- Plonger les pêches 2 à 3 minutes dans de l'eau bouillante, les retirer, les passer sous l'eau froide et retirer la peau.
- Dans une casserole, mettre les pêches entières avec l'eau et le sucre. Faire cuire sur feu doux pendant 20 minutes. Prélever délicatement les pêches, les réserver.
- Faire réduire le jus de cuisson aux trois-quarts.
- Ajouter à la réduction la vanille, le zeste de citron et les pommes coupées en quatre. Faire cuire à couvert pendant 20 minutes. Passer le tout au moulin à légumes grille fine pour obtenir une compote.
- Dans un plat, verser la compote de pommes, poser les pêches dessus. Mettre au réfrigérateur.
- Laver et équeuter les fraises, les mixer.
- Au moment de servir, napper les pêches de coulis de fraises. Décorer de fraises des bois.

TARTE AU CITRON

Préparation 30 minutes
Cuisson 1 heure

Pour 4 personnes

Pâte sablée
- **150 g de farine**
- **75 g de beurre**
- **35 g de poudre d'amandes**
- **70 g de sucre**
- **4 gouttes d'extrait de vanille**
- **1 pincée de sel**
- **1 œuf**

Crème
- **120 g de sucre**
- **3 œufs**
- **20 g de maïzena**
- **2 citrons**

• Préchauffer le four th. 6 (180°). Préparer la pâte dans une jatte, mettre la farine et la poudre d'amandes en fontaine, déposer au centre tous les autres ingrédients. Mélanger du bout des doigts afin d'obtenir un mélange homogène. Etaler la pâte sur un moule à tarte. Faire cuire à blanc pendant 15 minutes.

• Préparer la crème : dans un cul de poule, mélanger les jaunes d'œufs, le sucre, le zeste d'un citron haché et le jus des citrons. Faire cuire dans un bain-marie sans cesser de fouetter. Dès que la crème est épaisse et mousseuse, retirer du feu et fouetter jusqu'à complet refroidissement.

• Sortir le fond de tarte du four et baisser le thermostat à 5 (150°).

• Battre les blancs en neige ferme, les incorporer à la préparation. Verser la crème sur le fond de pâte et glisser au four pour 30 à 35 minutes.

• Laisser refroidir et servir aussitôt.

TARTE AUX POMMES ET CYNORHODON

Préparation 35 minutes
Cuisson 1 heure

Pour 4 personnes

Pâte brisée
- **125 g de farine**
- **60 g de beurre**
- **20 g de sucre**
- **1 œuf**
- **1 pincée de sel**

Garniture
- **200 g de pommes**

Compote
- **300 g de pommes**
- **100 g de cynorhodon (fruit rouge du rosier et de l'églantier appelé familièrement gratte-cul)**
- **1 petit zeste de citron**
- **1 dl d'eau**

Préparer la pâte brisée : dans une jatte mettre la farine, ajouter le beurre, le sucre, l'œuf et le sel. Bien mélanger le tout du bout des doigts. Former une boule. Etaler la pâte et en garnir un moule à tarte.

- Préparer la compote : éplucher et couper les pommes en quatre. Les mettre dans une casserole avec les cynorhodons, le zeste de citron et l'eau. Faire cuire à couvert sur petit feu pendant 20 minutes. Mixer le tout et passer au tamis grille fine.
- Préchauffer le four th. 6 (180°).
- Verser la préparation sur la pâte. Peler et couper le reste de pommes en lamelles, les disposer sur la compote et glisser au four pour 25 à 30 minutes.

TARTE A L'ORANGE

Préparation 30 minutes
Cuisson 30 minutes

Pour 4 personnes

Pâte sablée
- **150 g de farine**
- **70 g de beurre**
- **40 g sucre semoule**
- **40 g poudre d'amandes**
- **1 œuf**
- **4 gouttes d'extrait de vanille**
- **1 pincée de sel**

Crème d'orange
- **50 g de sucre semoule**
- **50 g poudre d'amandes**
- **60 g de beurre**
- **20 g de farine**
- **2 œufs**
- **1 c. à soupe de zeste d'orange haché**

Décoration
- **100 g de confiture d'oranges**
- **1 orange**

• Préparer la pâte sablée : dans une jatte, mettre la farine en fontaine, ajouter au centre tous les autres ingrédients. Travailler le tout du bout des doigts. Etaler la pâte dans un moule à tarte.
• Préchauffer le four th. 6 (180°).
• Préparer la crème d'orange : dans une jatte, mélanger le beurre, le sucre semoule et la poudre d'amandes à l'aide d'un fouet. Ajouter les œufs, quand le mélange est crémeux verser la farine tamisée et le zeste d'orange.
• Verser la crème sur le fond de la pâte et glisser au four pour 30 minutes.
• Hors du four, badigeonner la tarte de confiture d'orange à l'aide d'un pinceau. Puis décorer de fines tranches d'oranges.

SHOPPING

Molin - Grands Magasins

assiettes pages 19 - 29

Laure Japy - 34, rue du Bac - 75007 Paris

assiettes pages 39 - 43 - 69 - 79

La Desserte - 57, rue du Commerce - 75015 Paris

assiette page 101

Achevé d'imprimer 3-ème trimestre 1991

Photos Recettes : Alain Lechat

Direction Artistique : Martine Boutron

Maquette : Studio Jean-Jacques de Galkowsky

Photogravure : B. Scann

Printed in C.E.E.

PUBLICATION JEAN-PIERRE TAILLANDIER

Direction technique : Marie-Noël Lézé

Composition et mise en page : Clarisse Taupin

Secrétaires de Rédaction : Macha Gorecki / Clarisse Taupin

I.S.B.N. 2-87636-076-4

Péniche Torcy - 2/4 quai Marcel Dassault - 92150 Suresnes.

Tél 46 97 12 05 - Fax 46 97 12 04